SV

Band 225 der Bibliothek Suhrkamp

Max Frisch

Biografie: Ein Spiel

Suhrkamp Verlag

Achtundvierzigstes und neunundvierzigstes Tausend
dieser Ausgabe: 1979

Druck: Nomos Verlagsgesellschaft, Baden-Baden
Printed in Germany

»Ich denke häufig; wie, wenn man das Leben noch einmal beginnen könnte, und zwar bei voller Erkenntnis? Wie, wenn das eine Leben, das man schon durchlebt hat, sozusagen ein erster Entwurf war, zu dem das zweite die Reinschrift bilden wird! Ein jeder von uns würde dann, so meine ich, bemüht sein, vor allem sich nicht selber zu wiederholen, zumindest würde er für sich selbst eine andere Lebensweise schaffen, er würde für sich eine solche Wohnung mit Blumen nehmen, mit einer Menge Licht... Ich habe eine Frau und zwei Mädchen, und meine Frau ist oft krank, und es gibt so viele Dinge, so vieles... je nun, wenn ich mein Leben von neuem beginnen sollte, so würde ich nicht heiraten... Nein, nein.«

Werschinin in ›DREI SCHWESTERN‹
von Anton Tschechow

Personen:

Kürmann · Antoinette · Registrator
Frau Hubalek · Der alte Rektor · Rotz, ein Zehnjähriger · Ein Korporal · Die Mutter · Arzt · Schwester Agnes · Helen, eine Mulattin · Der Vater · Die Braut · Die Schwiegereltern · Ein evangelischer Pfarrer · Ein Hochzeitskind · Thomas, der Sohn · Ein Flüchtling · Professor Krolevsky · Ein Ballett-Lehrer · Ballett-Schülerinnen · Ein Kellner · Einer vom Verfassungsschutz · Henrik, Werbefachmann · Seine Frau · Egon Stahel · Seine Frau · Schneider · Hornacher, der neue Rektor · Pina, eine Calabresin · Rotzler, Handels-Attaché · Marlis

Erster Teil

Wenn der Vorhang aufgeht: Arbeitslicht, man sieht die ganze Bühne, in der Mitte stehen die Möbel, die bei Spiellicht ein modernes Wohnzimmer darstellen: ein Schreibtisch rechts, links Sofa und Fauteuil und Stehlampe, keine Wände. Eine junge Dame, im Abendkleid, sitzt im Fauteuil und wartet, sie trägt eine Hornbrille. Stille. Dann hört man ein schlechtes Klavier nebenan: Takte, die abbrechen, Wiederholung, wie wenn geprobt wird, dann wieder Stille; die junge Dame wartet weiter. Endlich kommt ein Herr mit einem Dossier und geht zu einem Pult im Vordergrund links, das nicht zum Zimmer gehört; er legt das Dossier auf das Pult und knipst ein Neon-Licht an.

REGISTRATOR Also: – *Er blättert im Dossier, dann liest er:* »26. Mai 1960. Gäste. Es wurde spät. Als die Gäste endlich gegangen waren, saß sie einfach da. Was macht man mit einer Unbekannten, die nicht geht, die einfach sitzen bleibt und schweigt um zwei Uhr nachts? Es mußte nicht sein.« *Er knipst das Neon-Licht aus.* Bitte.
Spiellicht.

Stimmen draußen, Gelächter, schließlich Stille, kurz darauf erscheint Kürmann, der vor sich hin pfeift, bis er die junge Dame sieht.

ANTOINETTE Ich gehe auch bald.
Schweigen, er steht ratlos, dann beginnt er Flaschen und

Gläser abzuräumen, Aschenbecher abzuräumen, dann steht er wieder ratlos.

KÜRMANN Ist Ihnen nicht wohl?

ANTOINETTE Im Gegenteil. *Sie nimmt sich eine Zigarette.* Nur noch eine Zigarette. *Sie wartet vergeblich auf Feuer.* Wenn ich nicht störe. *Sie zündet an und raucht.* Ich habe es sehr genossen. Einige waren sehr nett, fand ich, sehr anregend ...

Schweigen.

ANTOINETTE Haben Sie noch etwas zu trinken?

Kürmann geht zu einer kleinen Hausbar und gießt Whisky ein, er hantiert umständlich, um sein Schweigen zu unterstreichen, höflich wie ein Gastgeber, dem nichts andres übrig bleibt.

KÜRMANN Eis?

Kürmann überreicht den Whisky.

ANTOINETTE Und Sie?

KÜRMANN Ich habe morgen zu arbeiten.

ANTOINETTE Was arbeiten Sie?

Stundenschlag: zwei Uhr.

KÜRMANN Es ist zwei Uhr.

ANTOINETTE Sie erwarten noch jemand?

KÜRMANN Im Gegenteil.

ANTOINETTE Sie sind müde.

KÜRMANN Zum Umfallen.

ANTOINETTE Warum setzen Sie sich nicht?

Kürmann bleibt stehen und schweigt.

ANTOINETTE Ich kann nicht schneller trinken.

Pause.

ANTOINETTE Eigentlich wollte ich nur noch einmal Ihre alte Spieluhr hören. Spieluhren faszinieren mich: Figuren, die immer die gleichen Gesten machen, sobald es klimpert, und immer ist es dieselbe Walze, trotzdem ist man gespannt jedesmal. Sie nicht?

Sie leert langsam ihr Glas.

KÜRMANN Noch ein Whisky?

Sie löscht ihre Zigarette.

ANTOINETTE Ich werde jetzt gehen.

KÜRMANN Haben Sie einen Wagen?

ANTOINETTE Nein.

KÜRMANN Darf ich Sie fahren?

ANTOINETTE Ich denke, Sie sind müde.

KÜRMANN Überhaupt nicht.

ANTOINETTE Ich auch nicht.

Sie nimmt sich wieder eine Zigarette.

ANTOINETTE Warum sehen Sie mich so an? Haben Sie noch Feuer? Warum sehen Sie mich so an?

Kürmann gibt Feuer, dann geht er zur Hausbar und gießt sich einen Whisky ein, er steht mit dem Rücken gegen sie, das Glas in der Hand, ohne zu trinken.

KÜRMANN Haben Sie etwas gesagt?

ANTOINETTE Nein.

KÜRMANN Ich auch nicht.

Schweigen, sie raucht gelassen vor sich hin, Kürmann blickt sie an, dann setzt er sich in einen Sessel, verschränkt die Beine und zeigt, daß er wartet. Schweigen.

KÜRMANN Was halten Sie von Wittgenstein?

ANTOINETTE Wie kommen Sie auf Wittgenstein?

KÜRMANN Zum Beispiel. *Er trinkt.* Wir können ja nicht einfach schweigen, bis draußen der Morgen graut und die Vögel zwitschern. *Er trinkt.* Was sagen Sie zum Fall Krolevsky?

ANTOINETTE Wer ist Krolevsky?

KÜRMANN Professor Krolevsky, der heute Abend hier gewesen ist, Professor Wladimir Krolevsky. Was halten Sie von Marxismus-Leninismus? Ich könnte auch fragen: Wie alt sind Sie?

ANTOINETTE 29.

KÜRMANN Was arbeiten Sie, wo leben Sie.

ANTOINETTE Zurzeit in Paris.

KÜRMANN – dabei habe ich kein Bedürfnis es zu wissen, offen gestanden, nicht das mindeste Bedürfnis. Ich frage bloß, um nicht zu schweigen, um nicht unhöflich zu sein. Um zwei Uhr nachts. Sie nötigen mich zu einer Neugierde, die nicht besteht. Offen gestanden. Und auch das, sehen Sie, sage ich bloß, damit in diesem Zimmer gesprochen wird um zwei Uhr nachts. *Er trinkt.* Ich kenne das!

ANTOINETTE Was?

KÜRMANN Je schweigsamer die Dame, umso überzeugter ist der Mann, daß er für die Langweile verantwortlich sei. Und je mehr ich dabei trinke, umso weniger fällt mir ein, und je weniger mir einfällt, umso offenherziger werde ich reden, umso persönlicher, bloß weil man unter vier Augen ist. Um zwei Uhr nachts. *Er trinkt.* Ich kenne das! *Er trinkt* – dabei hören Sie überhaupt nicht zu, glauben Sie mir, überhaupt nicht. Sie rauchen bloß vor sich hin und schweigen und warten bloß, bis mir nichts andres mehr einfällt als die sozusagen nackte Tatsache, daß wir Mann und Frau sind –

Sie löscht ihre Zigarette.

ANTOINETTE Warum bestellen Sie mir kein Taxi?

KÜRMANN Sobald Sie darum bitten.

Pause.

ANTOINETTE Ich höre Ihnen wirklich zu.

Kürmann erhebt sich.

KÜRMANN Spielen Sie Schach?

ANTOINETTE Nein.

KÜRMANN Dann lernen Sie's heute nacht.

ANTOINETTE Warum?

Kürmann geht hinaus.

ANTOINETTE Warum bestellen Sie kein Taxi?

Kürmann kommt mit einem Schach.

KÜRMANN Hier: Die Bauern. Die können nicht zurück. Das ist ein Springer. Ferner gibt es Türme. Hier: das sind Läufer. Einer auf Weiß, einer auf Schwarz. Das ist die Dame. Die darf alles. Der König. *Pause, bis er sämtliche Figuren aufgestellt hat.* Ich bin nicht müde, aber wir werden nicht sprechen, bis der Morgen graut und draußen die Vögel zwitschern, kein Wort.

Sie nimmt ihre Handtasche und erhebt sich.

KÜRMANN – Sie können hier schlafen, aber es wäre besser, wenn Sie es nicht täten, offen gesprochen, es wäre mir lieber.

Sie setzt sich auf ein Sofa, um ihre Lippen zu malen, Kürmann sitzt vor dem Schach und stopft sich eine Pfeife, Blick auf das Schach.

KÜRMANN Sie sind am Zug.

ANTOINETTE Auch ich habe morgen zu arbeiten.

KÜRMANN Sie haben Weiß, weil Sie der Gast sind. *Er zündet die Pfeife an.* – ich bin nicht betrunken, und Sie sind es auch nicht, wir wissen beide, was wir nicht wollen. *Er braucht ein zweites Streichholz* – ich bin nicht verliebt. *Er braucht ein drittes Streichholz.* Sie sehen, ich rede schon sehr vertraulich, und das ist genau, was ich nicht wollte, und dabei kenne ich nicht einmal Ihren Namen.

ANTOINETTE Antoinette.

KÜRMANN Wir sehen einander heute zum ersten Mal: Sie gestatten, daß ich Sie nicht beim Vornamen nenne.

ANTOINETTE Stein.

KÜRMANN Fräulein Stein: –

Sie schraubt den Lippenstift zu.

ANTOINETTE Ich spiele nicht Schach.

Sie nimmt die Puderdose.

KÜRMANN Ich erkläre Ihnen Zug für Zug. Sie eröffnen mit dem Königsbauer. Gut. Ich sichere: ebenfalls mit dem Königsbauer. Jetzt kommen Sie mit dem Springer heraus.

Sie pudert sich.

KÜRMANN Fräulein Stein, ich schätze Sie.

ANTOINETTE Wieso?

KÜRMANN Das weiß ich nicht, aber wenn wir jetzt nicht Schach spielen, so weiß ich, wie es weitergeht: Ich werde Sie verehren, daß die Welt sich wundert, ich werde Sie verwöhnen. Ich kann das. Ich werde Sie auf Händen tragen, Sie eignen sich dazu. Ich werde glauben, daß ich ohne Antoinette Stein nicht leben kann. Ich werde ein Schicksal draus machen. Sieben Jahre lang. Ich werde Sie auf Händen tragen, bis wir zwei Rechtsanwälte brauchen.

Sie klappt ihre Puderdose zu.

KÜRMANN Spielen wir Schach.

Sie erhebt sich.

KÜRMANN Was suchen Sie?

ANTOINETTE Meine Jacke.

Kürmann erhebt sich und gibt ihr die Jacke.

KÜRMANN Wir werden einander dankbar sein, Antoinette, sieben Jahre lang, wenn Sie jetzt gestatten, daß ich ein Taxi bestelle.

ANTOINETTE Ich bitte darum.

Kürmann geht ans Telefon und bestellt ein Taxi.

KÜRMANN Er kommt sofort.

ANTOINETTE Danke.

KÜRMANN Ich danke Ihnen.

Pause, sie blicken einander an.

KÜRMANN – wie zwei Katzen. Miau. Sie müssen fauchen. Zsch. Sonst fauche ich. Zsch.

Sie steht und nimmt sich eine Zigarette.

KÜRMANN Miau, Miau, Miau.

Sie zündet die Zigarette an.

KÜRMANN Sie machen es ausgezeichnet: die Augen, wenn Sie rauchen und dabei die Augen beinahe schließen, diese Schlitzaugen jetzt: ganz ausgezeichnet.

ANTOINETTE Zsch.

KÜRMANN Miau.

ANTOINETTE Miau.

BEIDE Miau-au-auau-au.

Sie lachen.

ANTOINETTE Spaß beiseite.

KÜRMANN Spaß beiseite.

Kürmann nimmt ihr die Jacke ab.

ANTOINETTE Was machen Sie?

Es klingelt.

ANTOINETTE Mein Taxi ist da.

KÜRMANN Spaß beiseite.

Kürmann nimmt ihr die Hornbrille ab.

ANTOINETTE Löschen Sie wenigstens das Licht.

KÜRMANN Können wir nochmals anfangen?

Neon-Licht.

REGISTRATOR Wo wollen Sie nochmals anfangen?

KÜRMANN Stundenschlag zwei Uhr.

REGISTRATOR Wie Ihnen beliebt.

Kürmann gibt die Hornbrille zurück.

KÜRMANN Entschuldigung.

ANTOINETTE Bitte.

Sie setzt sich in den Fauteuil. Neon-Licht aus.

REGISTRATOR Bitte.

Stundenschlag: zwei Uhr.

ANTOINETTE »Eigentlich wollte ich nur noch einmal Ihre alte Spieluhr hören. Spieluhren faszinieren mich: die Figuren, die immer ihre gleichen Gesten machen, und immer ist es dieselbe Walze, man weiß es, trotzdem ist man gespannt jedesmal.«

KÜRMANN Ich weiß.

ANTOINETTE »Sie nicht?«

Kürmann geht zur Spieluhr und kurbelt, man hört ein heiteres Geklimper, er kurbelt, bis die Walze zu Ende ist.

KÜRMANN Womit kann ich sonst noch dienen?

Kürmann geht zur Hausbar.

KÜRMANN Leider ist kein Whisky mehr da.

ANTOINETTE Das macht nichts.

Sie nimmt sich eine Zigarette.

Was halten Sie von Wittgenstein?

Kürmann gießt sich Whisky ein.

KÜRMANN »Ich habe morgen zu arbeiten.«

ANTOINETTE »Was arbeiten Sie?«

Kürmann trinkt.

REGISTRATOR Warum sagen Sie's nicht?

ANTOINETTE »Was arbeiten Sie?«

KÜRMANN Verhaltensforschung.

Kürmann trinkt.

REGISTRATOR Weiter!

ÜRMANN Um acht Uhr kommt Frau Hubalek.
NTOINETTE Wer ist Frau Hubalek?
ÜRMANN Meine Haushälterin.
EGISTRATOR Stop!

Neon-Licht.

EGISTRATOR Das können Sie nicht sagen, Herr Kürmann. Kaum sehen Sie eine junge Dame in Ihrer Wohnung um zwei Uhr nachts, schon denken Sie dran, daß um acht Uhr morgens Ihre Haushälterin kommt.
ÜRMANN Fangen wir nochmals an.
EGISTRATOR Und dann melden Sie, es sei kein Whisky mehr da, und kaum haben Sie gelogen, nehmen Sie eine andere Flasche, gießen sich selbst einen Whisky ein.
NTOINETTE Das habe ich nicht einmal bemerkt.
ÜRMANN Fangen wir nochmals an!
EGISTRATOR Von Anfang an?
ÜRMANN Bitte.
EGISTRATOR Wie Ihnen beliebt.
ÜRMANN Wieso trägt sie plötzlich keine Brille?
EGISTRATOR Das kann die Dame halten, wie sie will. Das haben Sie nicht zu bestimmen, Herr Kürmann. Was Sie wählen können, ist Ihr eigenes Verhalten. Bleiben Sie ganz unbefangen, Hornbrille hin oder her. Und denken Sie nicht immer: Ich kenne das. Sie kommen herein, pfeifen vor sich hin, ein Mann auf der Höhe seiner Laufbahn: Sie sind Professor geworden –
ÜRMANN Ich weiß.
EGISTRATOR Man hat Sie gefeiert, Surprise-party, Sie sehen Ihre Frau zum ersten Mal – ganz unbefangen.

KÜRMANN Das ist leicht gesagt.

REGISTRATOR Ganz unbefangen, ganz locker.

Kürmann geht hinaus.

ANTOINETTE Von Anfang an?

REGISTRATOR Wenn ich bitten darf.

Neon-Licht aus.

ANTOINETTE Soll ich nun die Hornbrille tragen oder nicht?

Stimmen draußen, Gelächter, dann Stille, kurz darauf kommt Kürmann ins Zimmer und pfeift vor sich hin, bis er die junge Dame im Fauteuil sieht.

ANTOINETTE »Ich gehe auch bald.«

KÜRMANN »Ist Ihnen nicht wohl?«

ANTOINETTE »Im Gegenteil.« *Sie nimmt sich eine Zigarette.* »Nur noch eine Zigarette.« *Sie wartet vergeblich auf Feuer und zündet selber an.* »Wenn ich nicht störe.«

Sie raucht vor sich hin: »Ich habe es sehr genossen. Einige waren sehr nett, fand ich, sehr anregend – «

Kürmann schweigt.

REGISTRATOR Weiter!

Kürmann geht und gießt Whisky ein.

REGISTRATOR Denken Sie jetzt nicht an Frau Hubalek.

Kürmann überreicht den Whisky.

ANTOINETTE »Und Sie?«

KÜRMANN »Ich habe morgen zu arbeiten.«

ANTOINETTE »Was arbeiten Sie?«

Pause.

REGISTRATOR Jetzt schweigen Sie schon wieder.

Sie setzt ihre Hornbrille auf.

ANTOINETTE »Warum sehen Sie mich so an?«

REGISTRATOR Je länger Sie schweigen, umso zweideutiger wird die Stille. Spüren Sie das nicht? Umso intimer müssen Sie nachher reden.

ANTOINETTE »Warum sehen Sie mich so an?«

Stundenschlag: zwei Uhr.

KÜRMANN »Es ist zwei Uhr.«

ANTOINETTE »Ich werde gehen.«

KÜRMANN »Haben Sie einen Wagen?«

ANTOINETTE Ja.

Sie raucht gelassen vor sich hin.

KÜRMANN – vorher hat sie Nein gesagt, sie habe keinen Wagen, jetzt sagt sie Ja: damit ich kein Taxi bestellen kann. Ich bringe sie nicht aus dieser Wohnung!

Der Registrator tritt in die Szene.

REGISTRATOR Darf ich Ihnen sagen, was für einen Fehler Sie machen und zwar von Anfang an. Kaum sehen Sie eine junge Frau in diesem Zimmer, eine Unbekannte, denken Sie an eine Geschichte, die Sie schon erfahren haben. Stimmt's? Drum sind Sie erschrocken, wissen nicht –, was reden –

KÜRMANN Ich will, daß sie geht.

REGISTRATOR Damit sie nicht Ihre Frau wird.

KÜRMANN Ja.

REGISTRATOR Sehen Sie: Sie verhalten sich nicht zur Gegenwart, sondern zu einer Erinnerung. Das ist es. Sie meinen die Zukunft schon zu kennen durch Ihre Erfahrung. Drum wird es jedesmal dieselbe Geschichte.

KÜRMANN Warum geht sie nicht?

REGISTRATOR Sie kann nicht.

KÜRMANN Wieso nicht?

REGISTRATOR Wenn sie jetzt ihre Handtasche nimmt und

sich erhebt, hat sie erraten, woran Sie denken, und es ist peinlich für Sie. Warum sprechen Sie nicht von Verhaltensforschung? Allgemeinverständlich. Wieso nehmen Sie an, daß die junge Dame will, was Sie nicht wollen? Das Zweideutige kommt von Ihnen.

KÜRMANN Hm.

REGISTRATOR Sie halten sich für einen Frauenkenner, weil Sie jeder Frau gegenüber jedesmal denselben Fehler machen.

KÜRMANN Weiter!

REGISTRATOR Es liegt an Ihnen, wenn sie nicht geht.

Der Registrator tritt an sein Pult zurück.

REGISTRATOR Also: –

Stundenschlag: zwei Uhr.

KÜRMANN »Es ist zwei Uhr.«

Sie löscht ihre Zigarette.

ANTOINETTE »Sie erwarten noch jemand?«

KÜRMANN – ja.

REGISTRATOR Gut.

KÜRMANN Aber nicht eine Frau.

REGISTRATOR Sehr gut.

KÜRMANN Ich erwarte einen Jüngling.

Sie nimmt ihre Handtasche.

KÜRMANN Ich erwarte einen Jüngling.

REGISTRATOR Aber sagen Sie's nicht zweimal, als glaubten Sie selbst nicht dran. Und sagen Sie nicht: Jüngling. So reden die Uneingeweihten. Sagen Sie: ein Student, der Schach spielt. Ein junger und hochbegabter Mensch. Ein Wunderkind, das Sie fördern. Sprechen Sie einfach von seinem Genie. Das genügt.

KÜRMANN Hat es geklopft?

ANTOINETTE Ich habe nichts gehört.

KÜRMANN Hoffentlich ist ihm nichts zugestoßen.

REGISTRATOR Gut.

KÜRMANN Ich habe jede Nacht eine solche Angst –

Sie zerknüllt ein leeres Zigaretten-Paket.

ANTOINETTE Jetzt habe ich keine einzige Zigarette mehr!

Kürmann steckt sich die Pfeife an.

KÜRMANN Ein Student ... Hochbegabt ... Leider ist er von einer krankhaften Eifersucht: wenn er kommt und in meiner Wohnung sitzt eine Frau um zwei Uhr nachts, er ist imstand und schießt.

REGISTRATOR Nicht übertreiben.

KÜRMANN Ein Sizilianer ... aber blond, wissen Sie, blond mit blauen Augen ... Das kommt von den Normannen ... Hingegen sein Mund ist griechisch ... Übrigens ein musikalisches Wunderkind ... Übrigens ein Urenkel von Pirandello.

REGISTRATOR Jetzt reden Sie zuviel.

ANTOINETTE Hoffentlich ist ihm nichts zugestoßen.

Kürmann raucht seine Pfeife hastig.

ANTOINETTE Wollen Sie nicht anrufen?

KÜRMANN Wo!

ANTOINETTE Haben Sie noch eine Zigarette?

KÜRMANN Nehmen Sie meine Pfeife.

Kürmann wischt die Pfeife ab und gibt sie.

ANTOINETTE Und Sie?

KÜRMANN Es ist ein leichter Tabak, EARLY MORNING PIPE.

Sie steckt die Pfeife in den Mund.

KÜRMANN Was ich gesagt habe, Fräulein Stein, bleibt unter uns. Sie verstehen, die Universität weiß nichts davon.

Sie hustet.

KÜRMANN Sie müssen ziehen: langsam und regelmäßig.

Er nimmt die Pfeife und zeigt, wie man raucht: So. Sehen Sie? Einfach so. *Er wischt die Pfeife ab und gibt sie zurück.* Langsam und regelmäßig.

Sie raucht langsam und regelmäßig.

ANTOINETTE Können Sie dabei denken?

KÜRMANN Sie darf nicht heiß werden.

Sie raucht langsam und regelmäßig.

ANTOINETTE Alle meine Freunde, ich meine die wirklichen Freunde, die leben so wie Sie. *Sie qualmt.* Fast alle. *Sie qualmt.* Eigentlich alle. *Sie qualmt.* Die andern Männer, wissen Sie, sind furchtbar, früher oder später mißverstehen sie eine Frau fast immer.

KÜRMANN Ist das so?

ANTOINETTE Aber ja.

Sie hustet.

KÜRMANN Langsam und regelmäßig.

Sie raucht langsam und regelmäßig.

ANTOINETTE Wenn ich zum Beispiel Claude-Philippe nicht hätte!

KÜRMANN Wer ist Claude-Philippe?

ANTOINETTE Mein Freund in Paris. Ich wohne mit ihm zusammen. Ein wirklicher Freund. Ich kann tun und lassen, was ich will. Ich kann kommen und gehen, immer hat er Verständnis.

KÜRMANN Was tut er sonst?

ANTOINETTE Tänzer.

KÜRMANN Ah.

ANTOINETTE Alle andern Männer, fast alle, sind langweilig, sogar gescheite Männer. Kaum sitzt man unter vier Augen, werden sie zutraulich oder nervös, und plötzlich fällt ihnen nichts andres mehr ein, als daß ich eine junge Frau bin. Kaum einer fragt, was ich arbeite, und wenn ich von meiner Arbeit spreche, schauen sie auf meine Lippen. Es ist furchtbar. Kaum ist man mit ihnen allein in einer Wohnung um zwei Uhr nachts, meinen sie weiß Gott was – Sie können sich das nicht vorstellen! – und dabei haben sie Angst davor, vor allem die Intellektuellen. *Sie saugt an der Pfeife.* Jetzt ist sie ausgelöscht.

Kürmann nimmt die Pfeife, um sie nachzuzünden.

ANTOINETTE Ich bin froh, daß ich Sie getroffen habe, wissen Sie, sehr froh.

KÜRMANN Wieso?

ANTOINETTE Ich habe keine Brüder.

Sie erhebt sich.

KÜRMANN Sie wollen schon gehen?

ANTOINETTE Auch ich habe morgen zu arbeiten.

KÜRMANN Was arbeiten Sie?

ANTOINETTE Ich übersetze. Ich bin Elsässerin. Claude-Philippe ist mir sehr behilflich, er versteht kein Deutsch, aber er hat ein Sensorium – unglaublich . . .

Pause.

ANTOINETTE Hoffentlich ist ihm wirklich nichts zugestoßen.

Kürmann hilft ihr in die Abendkleidjacke.

KÜRMANN Wenn ich Ihnen je behilflich sein kann –

ANTOINETTE Sie sind sehr lieb.

Kürmann faßt ihre Hand.

REGISTRATOR Stop! *Neon-Licht.* Warum fassen Sie jetzt ihre Hände? - statt daß Sie dastehen wie ein Bruder, Hände in den Hosentaschen, Sensorium und so weiter, aber Hände in den Hosentaschen, wie ein Bruder vor der Schwester.

Kürmann versucht es.

REGISTRATOR Aber locker! *Er tritt in die Szene, nimmt*

nochmals die Abendkleidjacke ab, tritt an die Stelle von Kürmann, um zu zeigen, wie er es machen soll. Was war Ihr letzter Satz?

ANTOINETTE »Ich habe keine Brüder.«

REGISTRATOR Und darauf sagen Sie?

KÜRMANN Das war nicht ihr letzter Satz.

ANTOINETTE »Alle meine Freunde, ich meine die wirklichen Freunde, die man für das ganze Leben hat, sind Homosexuelle. Fast alle. Eigentlich alle.«

REGISTRATOR Und darauf sagen Sie?

KÜRMANN Das stimmt nicht.

ANTOINETTE »Wenn ich Claude-Philippe nicht hätte.«

KÜRMANN Das glaube ich, aber das hat sie schon früher gesagt, daß sie in Paris einen wirklichen Freund hat, einen Tänzer. Darauf kann ich nicht sagen: »Wenn ich je behilflich sein kann.«

REGISTRATOR Was war sein letzter Satz?

KÜRMANN »Wenn ich je behilflich sein kann.«

REGISTRATOR Und darauf sagen Sie?

ANTOINETTE »Sie sind sehr lieb.«

Der Registrator gibt ihr die Jacke.

KÜRMANN Entschuldigen Sie, aber das stimmt nicht. Wenn ich jetzt erst die Jacke gebe, wie soll ich jetzt, wo sie zärtlich wird, meine Hände in den Hosentaschen haben? Machen Sie das einmal.

Der Registrator nimmt die Jacke zurück.

REGISTRATOR Also bitte: –

ANTOINETTE »Ich bin glücklich, daß ich Sie getroffen habe, wissen Sie, sehr glücklich.«

REGISTRATOR Weiter.

ANTOINETTE »Ich habe keine Brüder.«

REGISTRATOR Das haben wir gehört.

KÜRMANN »Was arbeiten Sie?«

ANTOINETTE »Ich übersetze.«

REGISTRATOR Nein –

ANTOINETTE »Ich bin Elsässerin.«

REGISTRATOR – ihr letzter Satz vor der Jacke!

KÜRMANN »Claude-Philippe versteht kein Deutsch, aber er hat ein Sensorium.«

ANTOINETTE »Unglaublich.«

REGISTRATOR Und darauf sagen Sie?

KÜRMANN Nichts. Ich frage mich, wie Franzosen, die kein Deutsch verstehen, ein Sensorium haben. Pause! Ich gebe zu, daß ich jetzt hätte fragen können. Was übersetzen Sie?

ANTOINETTE Adorno.

REGISTRATOR Das kam aber nicht.

ANTOINETTE Weil er nicht fragt.

KÜRMANN Weil ich will, daß sie geht. Ich frage mich: Warum bleibt sie nicht in Paris? Aber das geht mich nichts an. Pause. Und da ich eine Pause mache, meint sie, jetzt denke ich an meinen Jüngling.

ANTOINETTE »Hoffentlich ist ihm wirklich nichts zugestoßen.«

REGISTRATOR Weiter!

KÜRMANN »Sie wollen schon gehen?«

ANTOINETTE »Auch ich habe morgen zu arbeiten.«

KÜRMANN »Was arbeiten Sie?«

ANTOINETTE »Ich übersetze.«

REGISTRATOR Kinder!

ANTOINETTE »Ich bin Elsässerin.«

Der Registrator läßt die Jacke sinken:

REGISTRATOR – ich bitte um den letzten Satz, bevor Kürmann die Jacke gibt und den Fehler macht, daß er ihre beiden Hände faßt.

KÜRMANN Wieso ist das ein Fehler.

REGISTRATOR Ihr Händedruck wird Sie verraten.

ANTOINETTE »Alle andern Männer, wissen Sie, sind furchtbar, früher oder später mißverstehen sie eine Frau fast immer.«

KÜRMANN »Ist das so?«

ANTOINETTE »Aber ja.«

Der Registrator gibt die Jacke.

REGISTRATOR »Wenn ich je behilflich sein kann.«

ANTOINETTE »Sie sind sehr lieb.« *Der Registrator steckt die Hände in die Hosentaschen, dann tritt er aus der Rolle zurück:*

REGISTRATOR Verstanden? Wie ein Bruder mit der Schwester. Auch wenn sie jetzt, was möglich ist, einen Kuß geben sollte, vergessen Sie nicht: Sie erwarten einen jungen Sizilianer. Sonst würde sie nicht küssen. Sie ist erleichtert, daß Sie kein gewöhnlicher Mann sind, Herr Kürmann, auch unter vier Augen nicht.

KÜRMANN Verstanden.

REGISTRATOR Geben Sie nochmals die Jacke.

Kürmann nimmt die Jacke zurück.

REGISTRATOR Also: –

Sie nimmt sich eine Zigarette.

ANTOINETTE Da waren ja noch Zigaretten.

Kürmann gibt Feuer.

ANTOINETTE Wieso ich nicht in Paris bleibe? Ich möchte einen kleinen Verlag gründen, meinen Verlag, wo ich machen kann, was ich will. Deswegen bin ich hier. Und wenn es mit dem Verlag nichts wird, etwas werde ich schon machen. *Sie raucht.* Etwas Eigenes. *Sie raucht.* Am liebsten würde ich eine kleine Galerie leiten–

REGISTRATOR Hören Sie?

KÜRMANN Warum hat sie nicht davon gesprochen?

REGISTRATOR Sie will ihr eignes Leben, sie sucht keinen Mann, der meint, daß sie ohne ihn nicht leben kann, und der einen Revolver kauft, wenn er eines Tages sieht, daß sie ohne ihn leben kann.

ANTOINETTE Wenn Sie's wissen wollen: ein sehr viel jüngerer Mann, jünger als Kürmann, hat mich hergefahren, ein Architekt, der nach Brasilien will mit mir. *Sie lacht.* Was soll ich in Brasilien! *Sie raucht.* Deswegen bin ich so lang geblieben: weil ich fürchte, daß er unten auf mich wartet.

KÜRMANN Wie soll ich das wissen?

ANTOINETTE Deswegen wollte ich ein Taxi: falls er bei meinem Wagen steht und wartet. *Sie raucht.* Ich will keine Geschichte. *Sie zertritt ihre Zigarette.* Kann ich jetzt meine Jacke haben?

Kürmann steht reglos.

REGISTRATOR Was überlegen Sie?

KÜRMANN Adorno.

REGISTRATOR Jetzt ist es zu spät, jetzt wissen Sie, worüber Sie mit der jungen Dame hätten sprechen können: über Hegel, über Schönberg, über Kierkegaard, über Beckett –

ANTOINETTE Ich habe bei Adorno doktoriert.

REGISTRATOR Warum geben Sie die Jacke nicht?

Kürmann gibt ihr die Jacke.

KÜRMANN »Wenn ich Ihnen hier behilflich sein kann.«

ANTOINETTE »Sie sind sehr lieb.«

Kürmann steckt die Hände in die Hosentaschen.

KÜRMANN Was fahren Sie für einen Wagen?

REGISTRATOR Gut.

KÜRMANN Vergessen Sie die Handtasche nicht.

REGISTRATOR Wenn Sie jetzt keinen Fehler mehr machen,

jetzt im Lift, so haben Sie's erreicht: – Biografie ohne Antoinette.

Kürmann knipst das Deckenlicht aus.

KÜRMANN Ich bringe Sie zum Wagen.

Sie setzt sich.

KÜRMANN Warum ist sie plötzlich so bleich?

REGISTRATOR Das kommt von der Pfeife.

Sie liegt im Fauteuil, Augen geschlossen, ihre Handtasche ist auf den Boden gefallen.

KÜRMANN Ich glaube ihr nicht.

Der Registrator tritt in die Szene, um ihr den Puls zu fühlen, während Kürmann abseits steht und sich die Pfeife stopft.

REGISTRATOR Es ist wirklich ein kleiner Kollaps. Sie mit Ihrer EARLY MORNING PIPE! Sagen Sie nicht immer: Ich kenne das. Ihre Stirn ist eiskalt.

Kürmann zündet die Pfeife an.

REGISTRATOR Muß das sein, daß Sie jetzt rauchen? Statt daß Sie ein Fenster öffnen. Sie benehmen sich unmöglich, das wissen Sie, wie ein Rohling.

KÜRMANN Besser jetzt als in sieben Jahren.

REGISTRATOR Wie Ihnen beliebt.

Sie erhebt sich.

REGISTRATOR Sie kann unmöglich fahren.

ANTOINETTE – ich muß nachhaus ...

REGISTRATOR Sehen Sie das nicht?

ANTOINETTE – ich muß mich hinlegen ...

REGISTRATOR Sie setzen ein Leben aufs Spiel.

Sie streift ihre Abendkleidjacke ab.

REGISTRATOR Wollen Sie nicht ein Glas kaltes Wasser holen, wenn einem Gast schwindlig ist, wenigstens ein Glas kaltes Wasser?

Kürmann geht hinaus.

ANTOINETTE – entschuldigen Sie ...

Sie öffnet ihr Abendkleid, sie muß sich hinlegen, um nicht in Ohnmacht zu fallen. Als Kürmann mit einem Glas Wasser zurückkommt, liegt sie auf dem Sofa.

ANTOINETTE – entschuldigen Sie ...

KÜRMANN Trinken Sie.

ANTOINETTE Das ist mir noch nie passiert – plötzlich – so ein Schwindel ...

KÜRMANN Soll ich einen Arzt holen?

ANTOINETTE – schauen Sie mich nicht an ...

Pause.

ANTOINETTE Ich schäme mich.

REGISTRATOR Sie wird sich erkälten.

KÜRMANN Ich kenne das: –

REGISTRATOR Wollen Sie nicht eine Decke holen?

KÜRMANN – eine Decke holen, und dann nehme ich mein Taschentuch und trockne ihr die Stirne ab, die Schläfen, die Stirne, die Augenlider. Ich kenne mich als Samariter. Ich mache Kaffee, ich wache und schweige und wache, ich ziehe ihr die Schuhe ab, damit sie sich wohler fühlt, und zum Schluß heißt es: Löschen Sie wenigstens das Licht!

Pause.

KÜRMANN Sie brauchen sich nicht zu schämen, Antoinette, das kommt vor, Antoinette, Sie brauchen sich nicht zu schämen.

Kürmann löst ihr die Schuhe ab.

ANTOINETTE Was machen Sie?

KÜRMANN – damit Sie sich wohler fühlen.

Kürmann stellt die Schuhe auf den Teppich.

ANTOINETTE Löschen Sie wenigstens das Licht.

Dunkel.

KÜRMANN Halt! Wer hat hier das Licht gelöscht? Halt!

Arbeitslicht; man sieht wieder die ganze Bühne.

REGISTRATOR Sie wollen nicht weiter?

KÜRMANN Nein.

REGISTRATOR Wie Sie wollen.

Antoinette ordnet ihr Abendkleid.

ANTOINETTE Wo sind denn meine Schuhe?

KÜRMANN Entschuldigung.

ANTOINETTE Wo sind denn meine Schuhe?

Kürmann gibt ihr die Schuhe.

REGISTRATOR Sie haben gesagt: Wenn Sie noch einmal anfangen könnten in Ihrem Leben, dann wüßten Sie genau, was Sie anders machen würden –

KÜRMANN Allerdings.

REGISTRATOR Warum machen Sie dann immer dasselbe!

Antoinette zieht ihre Schuhe an.

ANTOINETTE Er hat vollkommen recht: Es mußte nicht sein. Auch ich war nicht verliebt. Überhaupt nicht. Auch am andern Morgen nicht. *Sie hat die Schuhe angezogen und steht auf.* Was daraus entstanden ist – auch ich wäre froh, wenn es nicht stattfinden müßte...

Der Registrator blättert im Dossier.

REGISTRATOR Wo möchten Sie noch einmal anfangen?

KÜRMANN Früher.

REGISTRATOR Wann früher?

KÜRMANN Vor dieser Nacht. Bevor ich Professor werde, bevor diese Gesellschaft kommt, um mich zu feiern. Bevor ich Antoinette zum ersten Mal sehe.

REGISTRATOR Bitte.

Antoinette nimmt ihre Abendkleidjacke.

ANTOINETTE Mach's gut.

Antoinette geht weg.

KÜRMANN Eine idiotische Geschichte.

REGISTRATOR Wählen Sie eine andere.

KÜRMANN Eine überflüssige Geschichte.

REGISTRATOR Sie haben die Genehmigung, Herr Professor Kürmann, noch einmal anzufangen, wo Ihnen beliebt, noch einmal zu wählen –

Kürmann nimmt eine Whisky-Flasche.

REGISTRATOR Hören Sie?

Kürmann gießt Whisky ein.

REGISTRATOR Sie trinken zuviel.

KÜRMANN Was geht Sie das an?

REGISTRATOR Ich spreche nur aus, was Sie selber wissen.

Kürmann steht und trinkt.

KÜRMANN Was gehe ich Sie an?

REGISTRATOR *Indem er blättert:* – das hier ist Ihr Leben, das Sie bisher gelebt haben. Bis Mitte vierzig. Ein Leben, das sich sehen lassen darf. Ich gebe zu: etwas durchschnittlich. Als Wissenschaftler, scheint es, sind Sie beachtlich. Der Kürmann'sche Reflex: ein Begriff, der, wie es heißt, aus der Verhaltensforschung nicht mehr wegzudenken ist. Eigentlich fehlt in Ihrer Biografie nur noch der Ruf nach Princeton.

Kürmann blickt in sein Glas.

KÜRMANN Biografie! Ich weigere mich zu glauben, daß unsere Biografie, meine oder irgendeine, nicht anders aussehen könnte. Vollkommen anders. Ich brauche mich nur ein einziges Mal anders zu verhalten –

REGISTRATOR Bitte.

KÜRMANN – ganz zu schweigen vom Zufall!

Pause.

KÜRMANN Ich kann diese Wohnung nicht mehr sehen.

REGISTRATOR Wie Sie wünschen.

Die Möbel verschwinden, die Bücherwand ebenso, die Bühne ist leer.

Kürmann steht, ohne der Verwandlung zuzuschauen, mit dem Glas in der Hand.

REGISTRATOR Bitte.

KÜRMANN – ein einziges Mal in meinem Leben, als ich siebzehn war, ich saß auf einem Fahrrad, ich erinnere mich genau: kurz vor einem Gewitter, das aber nicht kam, Wetterleuchten, Staub wirbelte haushoch, und es roch nach Holunder und Teer – ein einziges Mal hatte ich eine Einsicht. Eine Viertelstunde lang. Es war eine wirkliche Einsicht, das weiß ich. Aber ich kann sie nicht wiederdenken. Ich bin zu dumm dafür. *Er leert sein Glas.* Zu dumm. *Er blickt den Registrator an:* Das ist das einzige, was ich wünsche, wenn ich nochmals anfangen kann: eine andere Intelligenz.

REGISTRATOR Entschuldigen Sie –

KÜRMANN Nur das!

REGISTRATOR – Sie mißverstehen unsere Spielregel: Sie haben die Genehmigung nochmals zu wählen, aber mit der Intelligenz, die Sie nun einmal haben. Die ist gegeben. Sie können sie anders schulen. Das steht Ihnen frei. Sie können sie zu Rate ziehen, wenn es um Entscheidungen geht, oder nicht. Sie können sie gebrauchen, wie Sie wollen: zur Vermeidung von Irrtümern oder nachträglich zur Rechtfertigung von Irrtümern. Wie Ihnen beliebt. Sie können sie spezialisieren, damit sie auffällt: als Fach-Intelligenz. Oder als politische Intelligenz. Sie können Sie auch verkommen lassen: in einem Glaubensbekenntnis oder in Alkohol. Oder Sie können sie schonen: indem Sie sich auf Skepsis beschränken. Wie Sie wünschen. Aber Sie können ihre Reichweite nicht ändern, oder sagen wir: die Potenz Ihrer Intelligenz, ihre Wertigkeit. Sie verstehen? Die ist gegeben.

Antoinette erscheint im Straßenmantel.

KÜRMANN Was will sie denn schon wieder?

ANTOINETTE – meine Handtasche.

Kürmann verweigert die Hilfe.

ANTOINETTE Ich habe meine Handtasche vergessen.

KÜRMANN Ich habe gesagt: Bevor ich meine Frau zum ersten Mal erblickt habe! Also kann sie hier nichts vergessen haben.

Der Registrator gibt Antoinette mit einer höflichen Geste zu verstehen, daß sie stört, und Antoinette tritt in den Hintergrund.

REGISTRATOR Wünschen Sie noch einmal die Schulzeit?

Lichtwechsel: es erscheint ein zehnjähriger Bub, winterlich gekleidet.

REGISTRATOR Sie erinnern sich an den kleinen Rotz?

ROTZ »Kürmännchen
trifft mich nicht,
Kürmännchen
Käsgesicht.«

KÜRMANN Hör auf.

ROTZ »Käsgesicht
Käsgesicht
Kürmännchen
trifft mich nicht.«

REGISTRATOR Man foppt Sie, weil Sie in der Turnhalle

gesagt haben, daß Sie einmal Professor werden. Ärgert es Sie noch immer? Dreiunddreißig Jahre später, 1960, werden Sie Professor.

Es erscheinen drei Herren im Talar der Universität, der Rektor mit einer Urkunde, die er entrollt.

REGISTRATOR Augenblick, Magnifizenz, Augenblick.

KÜRMANN Ich kenne die Urkunde.

ROTZ »Kürmännchen
trifft mich nicht,
Kürmännchen
Käsgesicht.«

REGISTRATOR Sie wissen, was dann geschehen ist.

ROTZ »Käsgesicht
Kürmännchen
Käsgesicht.«

ANTOINETTE Was ist geschehen? Davon hat er nie erzählt. Was hast du diesem Kleinen da getan?

Rotz macht einen Schneeball.

REGISTRATOR Das wäre 1927.

KÜRMANN Ja.

REGISTRATOR Das würde heißen:

KÜRMANN nochmals Volksschule

REGISTRATOR nochmals Pubertät

KÜRMANN nochmals Abitur

REGISTRATOR nochmals Tod der Mutter

KÜRMANN nochmals Militär!

REGISTRATOR – auch das.

Man hört Soldatengesang.

KOMMANDO Abteilung: halt. Achtung: steht. Links: um. Rechts: um. Gewehr: ab. Abteilung: ruhn.

KÜRMANN All das noch einmal?

KOMMANDO Achtung: steht.

Es erscheint ein Korporal.

KORPORAL Herr Leutnant –

REGISTRATOR Augenblick, Korporal, Augenblick.

KORPORAL Abteilung: ruhn.

Rotz will sich entfernen.

REGISTRATOR Bleib hier.

ROTZ Ich heiße aber nicht Rotz.

REGISTRATOR Wie heißt du denn?

KÜRMANN Er heißt Rotzler, wir haben ihn Rotz genannt, weil er nie ein Taschentuch hatte.

REGISTRATOR Bleib hier. *Er geht zu dem Bub und führt ihn an seinen Platz zurück.* Vielleicht behältst du dein linkes Auge. Hörst du? Vielleicht behältst du dein linkes Auge.

Der Korporal schlägt die Hacken zusammen.

KORPORAL Achtung: steht.

REGISTRATOR Korporal –

KORPORAL Schultert: Gewehr.

REGISTRATOR Wenn ich bitten darf –

KORPORAL Vorwärts: Taktschritt: marsch.

Man hört Taktschritt.

KORPORAL Richtung: rechts. Gradaus: marsch. Eins zwo, eins zwo. Richtung: links. Gradaus: marsch. Eins zwo, eins zwo.

Der Korporal geht weg, indem er der unsichtbaren Kolonne folgt, man hört noch eine Weile sein Kommando:

KOMMANDO Eins zwo, eins zwo . . .

Stille.

REKTOR Kann ich jetzt die Urkunde verlesen? Es handelt sich, wie ich glaube sagen zu können, um einen Höhepunkt im Leben unseres geschätzten Kollegen. Seine Ernennung zum ordentlichen Professor und Direktor des Instituts für Verhaltensforschung –

KÜRMANN Rotz, bleib da.

REGISTRATOR Vielleicht möchte Herr Kürmann keine Höhe-punkte, vielleicht möchte Herr Kürmann noch einma seine Mutter sehen.

Es erscheint eine weiße Krankenschwester, sie rollt ein weißes Bett herein und beugt sich über eine alte Frau die reglos im Bett liegt.

SCHWESTER Frau Kürmann? Ich verstehe nicht. Was sage Sie? Ich verstehe kein Wort, Frau Kürmann –

Es erscheint ein Arzt mit Spritze.

REGISTRATOR Vielleicht wäre es auch nur eine Bagatelle was sie noch sagen kann: Sie sollen nicht trinken, Si sollen heiraten, Sie sollen immer warme Socken tragen.

Es erscheint eine junge Mulattin, sie trägt Bikini und dar-über eine offene Bluse, sie ist barfuß, ihre Füße sind naß

HELEN What's the matter?

KÜRMANN Mother is dying.

HELEN What are you going to do?

Der Arzt gibt die Spritze.

ARZT Sie wird schlafen. Das Herz ist sehr stark. In dre Stunden geben Sie nochmals eine Spritze. Ich bin zuhaus

Der Arzt geht weg.

SCHWESTER Frau Kürmann?

Die Schwester geht weg.

HELEN Why don't you go to Europe?

KÜRMANN Helen –

HELEN Why don't you go?

Es erscheint ein Boot, das zu Helen paßt; sie spring hinein und nimmt das Ruder.

REGISTRATOR Sie wollten Helen nicht verlassen, Sie fürch-teten, daß Sie das Mädchen verlieren, wenn Sie nach Europa fliegen. Übrigens hatten Sie, laut Dossier, gerad kein Geld.

KÜRMANN Geben Sie mir das Dossier!

REGISTRATOR Bitte. *Er gibt das Dossier an Kürmann:* Es steht aber nichts drin, was Sie nicht selber wissen: Stipendium für ein Jahr, zweihundert Dollar im Monat. Nach dem Ausflug mit Helen – Sie haben einen alten Ford gekauft und ein Boot gemietet – besitzen Sie noch 18 Dollar. Zu wenig auch für eine Schiffsreise. Das heißt, Sie könnten den alten Ford vielleicht wieder verkaufen. Übrigens Ihr erster Wagen.

KÜRMANN Ich weiß.

REGISTRATOR Ihr Vater war Bäckermeister.

KÜRMANN Ich weiß.

REGISTRATOR Verschuldet; er war Trinker.

Es erscheint ein Bäckermeister mit einem Fahrrad, er ist betrunken und strahlt vor Gutherzigkeit.

REGISTRATOR Das wäre 1934: zu Ihrem siebzehnten Geburtstag kommt Vater mit einem Fahrrad, es ist neu und glänzt überall, die Speichen, die Lenkstange, alles glänzt, es hat einen Scheinwerfer, der ebenfalls glänzt, eine Klingel und vier Übersetzungen. Ein englisches Fahrrad.

Der Vater klingelt.

REGISTRATOR Sie erinnern sich?

Der Vater klingelt.

REGISTRATOR Es war, laut Dossier, die Erfüllung aller Wünsche. Wahrscheinlich hat er's auf Pump gekauft. Das haben Sie nie wieder erlebt: die Erfüllung aller Wünsche.

KÜRMANN Nein.

REGISTRATOR Möchten Sie nochmals das Fahrrad?

VATER Hannes –!

REGISTRATOR Augenblick, Vater Kürmann, Augenblick.

VATER Warum nimmt er's nicht?

REGISTRATOR Augenblick.

Der Vater flucht unverständlich.

KÜRMANN – dann wäre ich 17.

REGISTRATOR Genau.

KÜRMANN Und die Schneeballschlacht?

REGISTRATOR Gewesen.

KÜRMANN Und sein Auge bleibt verloren.

REGISTRATOR Ja.

Die Krankenschwester kommt mit Blumen.

SCHWESTER Frau Kürmann, wie geht's? Besser? Sehen Sie, Frau Kürmann, sehen Sie. Heute ist ein schöner Tag. Ich sage: ein schöner Tag draußen. Sehen Sie, Frau Kürmann, sehen Sie: Blumen von Ihrem Sohn aus Amerika. *Sie packt die Blumen aus dem Seidenpapier:* Lauter Rosen.

MUTTER Hannes –

SCHWESTER Ein lieber Sohn!

MUTTER Hannes –

SCHWESTER So viele Rosen.

Die Krankenschwester stellt die Rosen in eine Vase.

REGISTRATOR Sie wissen, wie es weitergeht. *Er nimmt das Dossier wieder an sich und liest:* »September 1939: Hitler-Deutschland überfällt Polen, Kriegserklärung von England und Frankreich, Sie bleiben in San Franzisko, Stalin-Rußland überfällt ebenfalls Polen, Frühling 1940: Hitler-Deutschland überfällt Holland –«

KÜRMANN Und so weiter.

REGISTRATOR »– und Belgien.«

KÜRMANN Und so fort und so weiter!

REGISTRATOR Wieso verlieren Sie die Nerven? Sie haben Sie damals nicht verloren. Im Gegenteil, Sie haben geheiratet.

Es erscheint eine Braut in Weiß.

REGISTRATOR Frühling 1940: zurückgekehrt nach Europa, um Militärdienst zu leisten, treffen Sie Ihre erste Gattin, die später Selbstmord begeht.

Kürmann schaut sich nicht um.

REGISTRATOR Möchten Sie hier eine andere Wahl treffen?

BRAUT Hannes –

REGISTRATOR Guggenbühl Katrin, 21, blond mit Sommersprossen, einziges Kind eines Apothekers – Sie erinnern sich? – laut Dossier: Sie wissen am Tag der kirchlichen Trauung, daß diese Ehe ein Irrtum ist.

Glockengeläute.

REGISTRATOR Möchten Sie hier eine andere Wahl treffen?

Kürmann erblickt die Braut; der Registrator geht und nimmt die Rosen aus der Vase, die vor dem Bett der Mutter steht, und gibt sie der Braut in den Arm; Kürmann hält immer noch sein leeres Whisky-Glas.

BRAUT Warum schweigst du?

KÜRMANN Katrin.

BRAUT Was ist denn mit dir?

Kürmann schweigt.

BRAUT So sag es doch.

Zwei Beamte bringen einen Sarg und gehen wieder.

REGISTRATOR Vielleicht weiß auch Katrin, daß diese Ehe ein Irrtum ist, und sie wartet bloß darauf, daß Sie es sagen. Warum sagen Sie es nicht? Sie wird zusammenbrechen. Mag sein. Es ist natürlich ein Schock, wenn Sie jetzt noch Nein sagen, wo schon die Glocken läuten.

BRAUT Hannes –

REGISTRATOR Vielleicht retten Sie ihr das Leben.

Die Glocken verstummen.

REGISTRATOR Herr Kürmann, wir warten. *Zu den Figuren:* Herr Kürmann hat gesagt: Wenn er nochmals anfangen könnte, so wüßte er genau, was er anders machen würde in seinem Leben. *Zu Kürmann:* – der Bub wartet, ob er sein linkes Auge verliert oder nicht. Ihre Mutter wartet es kann sich nur noch um Stunden handeln. Magnifizenz wartet mit der Urkunde. Helen, die Sie zum Mann gemacht hat, wartet an der Küste nördlich San Franzisko. Und es wartet die Braut mit den Rosen –

KÜRMANN – daß ich schuldig werde an ihr.

REGISTRATOR Oder nicht.

Orgelspiel.

REGISTRATOR Herr Kürmann, Sie haben nochmals die Wahl.

Es erscheinen ein bürgerlicher Herr mit Zylinder und eine bürgerliche Dame mit Hut, sie stellen sich neben die Braut.

SCHWIEGERVATER Hannes.

KÜRMANN Papa.

SCHWIEGERMUTTER Hannes.

KÜRMANN Mama.

REGISTRATOR Haben Sie Angst vor Schwiegereltern?

Es erscheint ein Kind, festlich gekleidet, um der Braut einen kleinen Strauß mit Gänseblümchen zu überreichen.

KIND »Liebe Braut, wir alle hier
wünschen Glück und Kinder dir.«

Das Kind macht einen Knicks.

SCHWIEGERMUTTER Süß.

Es erscheint ein evangelischer Pfarrer.

REGISTRATOR Haben Sie Angst vor einem evangelischen Beamten? Er kann nicht wissen, daß er einen Irrtum segnet. Warum schweigen Sie? Sie erinnern sich: Sie tragen an diesem Tag, laut Dossier, einen gemieteten Frack, dessen Ärmel leider zu lang sind. Wenn man betet, müssen Sie jedesmal, um die Hände falten zu können, die Ärmel zurückstreifen. Vorne am Altar denken Sie, laut Dossier, hauptsächlich an die Frackärmel, dann wieder an die Frackschwänze, die ebenfalls viel zu lang sind.

KÜRMANN Wenn sie wenigstens gelächelt hätte, aber sie schämte sich bloß! – sie litt! – so fing es an und dabei blieb es: sie litt ...

Kürmann wendet sich ab, er weiß nicht, wohin mit dem Glas.

REGISTRATOR Herr Kürmann.

KÜRMANN Ich höre die Orgel, o ja, ich höre.

REGISTRATOR Katrin liebt Sie.

KÜRMANN Das meinte sie.

REGISTRATOR Sie ist glücklich.

KÜRMANN Und das genügte ihr.

REGISTRATOR Was wollen Sie damit sagen?

KÜRMANN Nichts. *Der Registrator nimmt ihm das leere Glas ab.* Danke. *Er nimmt seine Pfeife aus der Tasche.* Ich träume von dir, Katrin, heute noch, und wenn ich aufwache, glaube ich, du weißt es jedesmal.

REGISTRATOR Was träumen Sie?

KÜRMANN Das geht niemand etwas an.

REGISTRATOR Warum heirateten Sie?

KÜRMANN Um Helen zu vergessen.

HELEN What is he telling you?

KÜRMANN Ich mißbrauchte sie, um Helen zu vergessen, und sie mißbrauchte mich, um ein Kind zu haben.

REGISTRATOR Warum sagen Sie's dem Mädchen nicht?

Kürmann schüttelt den Kopf.

REGISTRATOR So bleibt es dabei?

KÜRMANN Ja.

REGISTRATOR Endgültig?

KÜRMANN Endgültig.

Die Orgel verstummt.

PFARRER Amen.

KÜRMANN Wenn ich Katrin nicht geheiratet hätte, kann sein, sie hätte später nicht Selbstmord begangen.

REGISTRATOR Das eben meine ich.

KÜRMANN Und unser Sohn?

Es erscheint ein junger Bursche in Blue jeans.

THOMAS Pa.

KÜRMANN Ich bin kein guter Vater, ich bin kein schlechter Vater, zeitweise vergesse ich ihn, ich bin nicht unentwegt Vater, aber ich bin sein Vater. Wenn er zu weit in den See hinausschwimmt, habe ich Angst und rufe. Ich lerne nochmals Latein, um ihm zu helfen, und wenn er denkt, freut es mich, und wenn er wissen will, was ich denke, versuche ich mich zu erklären. *Er nimmt die Pfeife aus dem Mund:* – er ist da, sehen Sie nicht, er ist da!

REGISTRATOR Ich verstehe.

KÜRMANN – ihr Kind.

REGISTRATOR Sie lieben ihn.

KÜRMANN Darum geht es nicht. Man kann ein Kind, das einmal da ist, nicht aus der Welt denken. *Er lacht:* Thomas, wie ist das –?

THOMAS Pa.

KÜRMANN – liebt ein Sohn seinen Vater? liebt ein Vater seinen Sohn?

THOMAS Pa, ich brauche Geld.

KÜRMANN Siehst du.

THOMAS Blechschaden.

KÜRMANN Schon wieder.

THOMAS Dabei hatte ich Vorfahrt.

KÜRMANN Wieviel?

THOMAS So neunhundert.

Kürmann greift nach der Brieftasche.

KÜRMANN – das kann aber nicht stimmen, Entschuldigung: Führerschein mit 18, geboren 1942, dann wäre dieser Blechschaden frühestens 1960, dann wäre Antoinette schon wieder da.

REGISTRATOR Richtig.

KÜRMANN Das will ich aber nicht!

Der Registrator führt den Sohn hinaus.

REGISTRATOR Der Sohn muß kleiner sein.

Es kommt der Arzt mit der Krankenschwester.

ARZT Frau Kürmann?

SCHWESTER Sie wolle keine Spritze mehr, hat sie gesagt.

Der Arzt prüft den Puls.

SCHWESTER Sie liege auf einem steilen Berg, meinte sie, drum könne niemand sie besuchen. Um Mitternacht habe ich noch eine Spritze gegeben.

Der Arzt schließt der Toten die Augen.

ARZT Benachrichtigen Sie den Sohn.

HELEN Now it's too late.

ARZT Und bringen Sie mir die Personalien.

Der Arzt verläßt das Totenbett und kommt an Vater Kürmann vorbei:

ARZT Ja, Herr Kürmann ... ihr Tod, glaube ich, war nicht besonders schwer. Nur hatte Ihre Frau ein sehr starkes Herz. Erstaunlich für ihr Alter.

Händedruck, der Arzt geht weg.

HELEN Now it's too late.

KÜRMANN Yes.

HELEN Why didn't you go?

KÜRMANN Yes.
HELEN Because of me?
KÜRMANN Yes. *Helen faßt ihn am Arm.*
REGISTRATOR Sie wollen bei Helen bleiben?
KÜRMANN Yes.
REGISTRATOR Wie Ihnen beliebt. *Neon-Licht.* Sie habe
sich also entschlossen, Herr Kürmann, nochmals anzu
fangen nach dem Tod Ihrer Mutter: 1939, University o
California, wo Sie eine Studentin namens Helen getrof
fen haben. *Er liest aus dem Dossier:* »Ausflug nach For
Ross. Wir haben ein Boot, Helen wird in einem Mote
nicht zugelassen, Nacht im Boot –«
KÜRMANN Yes.
REGISTRATOR Sie bleiben also in Amerika.
Es erscheint ein Ehepaar mit Kindern in verschmutzte
Mänteln, Koffer in den Händen.
REGISTRATOR Wer sind die?
FLÜCHTLING Der junge Herr ist sehr gütig gewesen, de
junge Herr hat unsere Leben gerettet.
REGISTRATOR Stimmt das?
FLÜCHTLING 1940, Frühling.
REGISTRATOR Sie erinnern sich an diese Leute?
KÜRMANN Ja. *Ohne die Gruppe anzuschauen:* Das war a
der Grenze. Mitternacht. Man hatte sie in einem Güter
wagen entdeckt. Weil die Kleine gehustet hatte. Jetz
standen sie zwischen den Geleisen. Ohne Papiere. Juder
Einer von der Wache wollte sie sofort abführen, ic
fragte ihn etwas, das war alles, ich fragte, bis sie hinte
seinem Rücken verschwunden waren.
Der Registrator sucht im Dossier.
KÜRMANN Das war kurz nach meiner Rückkehr aus USA
ein Zufall, daß ich grad an diesem Bahnhof war i

diesem Augenblick, ein purer Zufall. *Da die Flüchtlingsfrau zu schluchzen beginnt:* Ihr kommt nicht ins Lager. Habt keine Angst. Ich bleibe nicht in San Franzisko.

HELEN What's the matter?

FLÜCHTLING Der junge Herr ist sehr gütig.

KÜRMANN Es kostete mich wenig, aber es kann sein, daß diese Minute ihnen das Leben gerettet hat.

REGISTRATOR Stimmt. *Er liest aus dem Dossier:* »14.4.1940«.

Pause.

KÜRMANN I have to go.

HELEN Why?

KÜRMANN I have to.

HELEN Okay.

KÜRMANN It's not okay, not at all, but I have to leave you, I really have to.

HELEN You're a coward.

KÜRMANN Helen –

HELEN I always knew you were.

Kürmann blickt sie hilflos an.

REGISTRATOR Sie meint, Sie hätten Angst, weil sie eine Mulattin ist. Erklären Sie ihr, daß sie sich irrt.

Pause.

HELEN Okay.

KÜRMANN Helen –?

HELEN Good luck.

Helen geht weg.

KÜRMANN Erklären Sie es ihr!

Die Flüchtlinge nehmen ihre Koffer.

FLÜCHTLING Der junge Herr ist sehr gütig.

Die Flüchtlinge gehen weg.

KÜRMANN Wie soll ich anders wählen . . .

REGISTRATOR Das also bleibt?

KÜRMANN Ja.
REGISTRATOR Weiter möchten Sie nicht zurück?
KÜRMANN Nein.
Ein Schrei: der kleine Rotz, vom Schneeball getroffen schreit und hält die Hand auf sein linkes Auge und läuf weg.
REGISTRATOR Das also bleibt.
Die tote Mutter wird weggefahren.
KÜRMANN Ja...
Das Boot verschwindet.
VATER Und ich?
KÜRMANN Ich kann's nicht ändern, Vater, daß du ein Trinker bist, ein gütiger Trinker, ein lieber Trinker, aber ich kann's nicht verhindern, daß du in jener Nacht oder in einer andern über die Treppe fällst, und am Morgen finden sie dich in der Backstube, dich, aber keine Brote.
VATER Was sagt er?
KÜRMANN Danke für das Fahrrad.
Der Vater wankt weg.
KÜRMANN Vater!
Das Fahrrad bleibt.
KOMMANDO Abteilung: halt.
REGISTRATOR Korporal –
Der Korporal erscheint tropfnaß.
REGISTRATOR Was haben Sie denn gemacht?
KORPORAL Strafschwimmen.
REGISTRATOR Herr Oberleutnant Kürmann hat eben sein Dienstalter überschritten, er möchte diese zwei Jahre in Uniform nicht wiederholen.
KÜRMANN Drei Jahre.
REGISTRATOR Korporal, Sie erübrigen sich.
KORPORAL Zu Befehl. Abteilung: Achtung: steht.

REGISTRATOR Schon gut, Korporal.

KORPORAL Abteilung: gradaus: marsch. Richtung: links. Richtung: rechts. Eins zwo, eins zwo.

REGISTRATOR Korporal –

KORPORAL Links zwo, eins zwo.

REGISTRATOR Das genügt.

KÜRMANN Das ist leicht gesagt.

KORPORAL Abteilung: singen.

Man hört Soldatengesang, der Korporal folgt der unsichtbaren Kolonne, langsam verliert sich der Gesang, Stille.

REGISTRATOR Möchten Sie jetzt die Urkunde hören?

Der Rektor entrollt wieder die Urkunde.

KÜRMANN Ist Katrin noch da?

REGISTRATOR Ja.

KÜRMANN Geh auch du.

REGISTRATOR Wollen Sie das wirklich? *Er liest aus dem Dossier:* »Heute vormittag in einem Wortwechsel mit Katrin, die immer verzeihen will, habe ich gesagt: Dann häng dich halt auf. Als ich nachmittags vom Institut zurückkomme, hat Katrin es getan. Jetzt liegt sie hier im Sarg. Meine Schuld ist untragbar. 11.6.1949.«

Kürmann schweigt.

REGISTRATOR Sie ist neunundzwanzig.

Kürmann schaut sie an.

KÜRMANN Geh auch du.

BRAUT Hannes –

KÜRMANN Ich habe mich an meine Schuld gewöhnt.

Die Braut tritt zurück, die Schwiegereltern und der Pfarrer und einige andere, die dazu kommen, bilden den Trauerzug, die beiden Bestattungsbeamten tragen den Sarg.

REGISTRATOR Möchten Sie nochmals das Gesicht sehen?

KÜRMANN Ich habe es nicht vergessen.

Der Trauerzug geht weg.

REKTOR Ich verstehe unsern Herrn Kollegen vollauf. Die Entdeckung des Kürmann'schen Reflexes, eine Entdekkung, die aus der heutigen Verhaltensforschung nicht mehr wegzudenken ist, verdanken wir einem Zufall. Selbst wenn man die jahrelange Versuchsreihe wiederholen würde, wer garantiert, daß dieser so aufschlußreiche Zufall noch einmal eintritt? Es wäre für einen Wissenschaftler, glaube ich, beinahe unverantwortlich –

REGISTRATOR Wann war dieser Zufall?

KÜRMANN Februar 59.

Der Registrator blättert im Dossier.

REKTOR Es schmälert Ihre wissenschaftliche Leistung in keiner Weise, Herr Kollege, wenn ich hier von Zufall spreche; wir wissen: nicht der Zufall entdeckt, sondern der Menschengeist, der am Zufall erkennt.

REGISTRATOR »Möwe No. 411, Versuch-Serie C.«

KÜRMANN Ja.

REGISTRATOR Darauf möchten Sie nicht verzichten?

ANTOINETTE Dieser Möwe verdankt er seine Karriere.

KÜRMANN Ich möchte die junge Dame bitten – zum letzten Mal – zu begreifen, daß sie hier nichts verloren haben kann.

ANTOINETTE – meine Handtasche.

KÜRMANN Ich bitte um Herbst 1959.

REGISTRATOR Fräulein Stein –

KÜRMANN Wo war sie Herbst 1959?

ANTOINETTE In Paris.

REGISTRATOR Herr Kürmann möchte Herbst 1959.

Antoinette geht weg.

KÜRMANN Andere sollen sich um ihre Handtasche kümmern.

Der Rektor rollt die Urkunde zusammen.

EKTOR Sie lassen mich wissen, wenn es so weit ist, daß ich die Urkunde verlesen kann.

Die drei Herren im Talar gehen weg.

EGISTRATOR Also: –

Antoinette kommt nochmals zurück.

NTOINETTE Dann sagen Sie aber meinem Mann, er soll zum Arzt gehen. Und zwar heute noch. Je früher umso besser. Bevor es zu spät ist.

EGISTRATOR Sie fühlen sich nicht wohl, Herr Kürmann?

ÜRMANN Unsinn.

NTOINETTE Wenn man weiß, was es ist, und wenn es zu spät ist, heißt es immer: vor einigen Jahren wäre es heilbar gewesen, eine Bagatelle.

ÜRMANN Ich werde zum Arzt gehen.

NTOINETTE Ich bitte ihn.

Der Registrator nickt, und Antoinette geht weg.

EGISTRATOR Und sonst, Herr Kürmann, was sonst möchten Sie anders machen: Herbst 1959?

ÜRMANN Ich überlege.

Ein Bühnenarbeiter holt das Fahrrad weg.

EGISTRATOR Sie erinnern sich an Herbst 1959: *Er blättert im Dossier:* »Spannungen zwischen Cuba und USA. / Nigerien wird unabhängig. / Eisenhower empfängt Chruschtschow. / Somalia wird unabhängig. / Die sowjetische Mondrakete LUNIK II, 390 kg, prallt auf den Mond.«

Kürmann putzt seine Brille.

ÜRMANN Geben Sie mir noch einmal die Unterredung mit Krolevsky. Professor Wladimir Krolevsky, der später seines Lehramtes enthoben wurde. Das war im Dezember, glaube ich. Unsere Unterredung in meiner Wohnung.

REGISTRATOR Bitte.

Arbeitslicht. Das Zimmer wird wieder hergestellt. Man hört wieder das schlechte Klavier nebenan, immer dieselben Takte, die abbrechen, Wiederholung. Da durch diesen Umbau eine Pause entsteht, nimmt der Registrator sich eine Zigarette. Zuletzt wird die Bücherwand heruntergelassen, der Registrator löscht seine Zigarette. Stille

REGISTRATOR Herr Kürmann, Ihre Wohnung ist wieder da

Neon-Licht aus.

Spiellicht.

KÜRMANN Was soll denn das hier?

REGISTRATOR Ihre alte Spieluhr.

KÜRMANN Weg damit!

REGISTRATOR Wie Ihnen beliebt.

Ein Bühnenarbeiter holt die Spieluhr weg.

REGISTRATOR Wünschen Sie sonst noch Veränderungen? Si brauchen es nur zu sagen. Vielleicht möchten Sie de Schreibtisch auf der andern Seite?

KÜRMANN Als käme es darauf an.

REGISTRATOR Sie können wählen.

Wieder das schlechte Klavier nebenan.

KÜRMANN Muß das sein?

REGISTRATOR Das ist die Ballett-Schule. Herbst 59. Si erinnern sich: nebenan befindet sich eine Ballett-Schule Leider lassen die immer das Fenster offen.

Wiederholung derselben Takte, dazu hört man di Stimme eines Ballett-Lehrers, dann Stille.

KÜRMANN Und das jeden Tag?

REGISTRATOR Ausgenommen Sonn- und allgemeine Feiertage.

KÜRMANN Das ist ja nicht auszuhalten.

REGISTRATOR Sie haben es ausgehalten.

KÜRMANN Sie sagen, ich könne wählen –

REGISTRATOR Die andern aber auch. Sie sind nicht allein auf der Welt, Herr Kürmann, und nun haben die eben das Nachbarhaus gemietet, Klettenhof 18, um hier ihre Ballett-Schule zu machen. Das sind Gegebenheiten. Wenn Sie's nicht aushalten, warum wählen Sie keine andere Wohnung?

KÜRMANN Und was ist dort?

REGISTRATOR Es wird sich zeigen.

KÜRMANN Eine Motorsäge vielleicht.

REGISTRATOR Möglich.

KÜRMANN Oder die Eisenbahn. Oder Glockengeläute. Oder die Ausflugschneise vom Flughafen –

Man hört ein perfides Geräusch.

REGISTRATOR Das wäre die Motorsäge.

KÜRMANN Hören Sie auf!

REGISTRATOR Wie Ihnen beliebt.

Man hört ein andres Geräusch.

KÜRMANN Was ist das denn?

REGISTRATOR Ein Kindergarten.

Kürmann schüttelt den Kopf.

REGISTRATOR Sie können wählen.

Wieder das schlechte Klavier nebenan, dieselben Takte, die abbrechen, dazu die Stimme des Ballett-Lehrers, Wiederholung, dann Stille.

REGISTRATOR Sie bleiben also in dieser Wohnung.

Kürmann sieht sich um.

KÜRMANN – so war das?

REGISTRATOR Sie wundern sich über Ihren Geschmack?

Es kommt Frau Hubalek.

FRAU HUBALEK Herr Professor Krolevsky.

KÜRMANN Ich lasse bitten.

Frau Hubalek geht weg, und es kommt Krolevsky: ein Glatzkopf mit wachen Augen hinter einer randlosen Brille, bleich, man meint zu Unrecht, er lächle immerzu, er trägt einen veralteten Mantel, den er nicht abgelegt, und eine dünne Ledermappe, Hut in der Hand, sein Gehaben ist perfekt schüchtern, er ist klein, aber er hat etwas von Instanz.

KÜRMANN Ich glaube, Sie haben hier gesessen.

Krolevsky setzt sich.

KÜRMANN Wahrscheinlich mutet es Sie komisch an: wir haben diese Unterredung schon einmal geführt, Herr Kollege. Sie kennen meine Gründe, warum ich keiner Partei beitrete, meine grundsätzlichen Bedenken. Ich brauche mich nicht zu wiederholen.

KROLEVSKY Nein.

KÜRMANN Trinken Sie etwas?

KROLEVSKY Nie.

Kürmann gießt sich einen Whisky ein.

KÜRMANN Kurz und gut, Herr Kollege, ich habe es mir noch einmal überlegt ...

Pause, Kürmann steht und trinkt.

KROLEVSKY Was haben Sie sich überlegt?

KÜRMANN – unsere Unterredung in diesem Zimmer, unsere Unterredung unter vier Augen: Sie dort, ich hier. Auch Sie brauchen sich nicht zu wiederholen, Krolevsky, ich weiß es: ich bin in Ihren Augen, was man zurzeit einen Non-Konformisten nennt, ein Intellektueller, der die herrschende Klasse durchschaut und zwar ziemlich genau, jedenfalls mit Entsetzen oder mindestens mit Ekel; aber das genügt ihm. Ab und zu unterzeichne ich einen Aufruf, eine Kundgebung für oder gegen: Proteste zugunsten meines Gewissens, solange Gewissen noch gestattet ist, und im übrigen arbeitet der Non-Konformist an seiner Karriere.

KROLEVSKY Habe ich das gesagt?

KÜRMANN Sie haben es anders gesagt.

KROLEVSKY Nämlich?

KÜRMANN Arbeit in der Partei, sagen Sie, ist das einzige Mittel, um die Welt zu ändern –

Es kommt Frau Hubalek.

KÜRMANN – wobei der Zweck, versteht sich, die Mittel zu heiligen hat, das ist bekannt und genau der Grund, warum ich keiner Partei beitrete. *Er sieht Frau Hubalek:* Was denn schon wieder? *Er nimmt einen Brief in Empfang.* Danke, Frau Hubalek, danke.

Frau Hubalek geht weg.

KÜRMANN Arbeit in der Partei, sagen Sie, und in diesem Augenblick kommt der Brief vom Senat: Anfrage, ob ich auf das kommende Frühjahr bereit wäre und so weiter, in Würdigung meiner wissenschaftlichen Leistung und so weiter, unter dem Vorbehalt, daß die Regierung und so weiter und so fort.

KROLEVSKY Mein Glückwunsch, Herr Kollege.

KÜRMANN Danke. *Er legt den Brief ungeöffnet auf den Tisch.* In der Erinnerung habe ich immer den Eindruck, daß Sie lächeln, und wenn ich Sie ansehe, lächeln Sie eigentlich nie. So wenig wie ein Schachspieler. Sie glauben nur meinen nächsten Zug schon zu kennen: – Sie sehen mich jetzt schon als Professor Dr. H. Kürmann, Direktor des Instituts für Verhaltensforschung.

Wieder das schlechte Klavier nebenan, aber kurz.

KÜRMANN Glauben Sie, Krolevsky, Sie als Kybernetiker, daß die Biografie, die ein Individuum nun einmal hat, verbindlich ist, Ausdruck einer Zwangsläufigkeit, oder aber: ich könnte je nach Zufall auch eine ziemlich ander Biografie haben, und die man eines Tages hat, diese unsere Biografie mit allen Daten, die einem zum Hal heraus hängen, sie braucht nicht einmal die wahrscheinlichste zu sein: sie ist nur eine mögliche, eine von vielen, die ebenso möglich wären unter denselben gesellschaftlichen und geschichtlichen Bedingungen und mit derselben Anlage der Person. Was also kann, so gesehen, eine Biografie überhaupt besagen? Sie verstehen: ob eine bessere oder schlechtere Biografie, darum geht es nicht. Ich weigere mich nur, daß wir allem, was einmal geschehen ist – weil es geschehen ist, weil es Geschichte geworden ist und somit unwiderruflich – einen Sinn unterstellen, der ihm nicht zukommt.

KROLEVSKY Ich verstehe.

KÜRMANN Sie verstehen?

KROLEVSKY Ab posse ad esse valet, ab esse ad posse non valet. *Er steckt sich eine Zigarette an:* Aber Sie wollten, glaube ich, etwas Dringliches sagen – *Wieder das schlechte Klavier nebenan: aber diesmal scheint die Übung zu klappen, so daß sie weitergeht; fünf Ballett-Schülerinnen tanzen aus der Seitenbühne, gefolgt vom Ballett-Lehrer, sie tanzen nicht für die Zuschauer, es bleibt Probe.*

LEHRER Halt! – und die Spitze? *Er macht es ohne Musik vor.* Verstanden? *Er klatscht in die Hände:* Also, Kinder, von Anfang an!

Wieder das schlechte Klavier nebenan: sie wiederholen die Übung, indem sie in die Seitenbühne hinaus tanzen; eine Ballett-Schülerin bleibt stehen. Stille.

KÜRMANN Was tut dieses Mädchen hier?

REGISTRATOR Gefällt es Ihnen?

KÜRMANN Ich spreche mit Krolevsky.

REGISTRATOR Sie sprechen mit Krolevsky: plötzlich hören Sie sich selbst nicht zu, Sie blicken zum Fenster hinaus, während Sie sprechen, und sehen die Ballett-Schule nebenan. Plötzlich sind Sie etwas zerstreut: –

KÜRMANN Ich kenne diese Ballett-Schülerin nicht.

REGISTRATOR Aber Sie könnten sie kennenlernen. *Man hört das schlechte Klavier nebenan, die drei Takte, die Ballett-Schülerin macht die Übung dazu, dann wieder Stille.*

REGISTRATOR Sie haben die Genehmigung, Herr Kürmann, noch einmal zu wählen: anders zu wählen: vielleicht möchten Sie einmal speisen mit ihr –

Es erscheint ein Kellner mit Speisekarte.

KELLNER Die Herrschaften wünschen?

REGISTRATOR Was gibt es denn?

KELLNER Caviar russe.
Saumon fumé.
Foie gras de Strasbourg.
Escargot à la Bourguignonne.

REGISTRATOR Sie können wählen.

KELLNER Oder italienisch?
Canneloni.
Tortellini alla panna.
Tortellini con funghi.
Lasagne verde.

REGISTRATOR Hm.

KELLNER Specialità della casa.

REGISTRATOR Ein ausgezeichnetes Restaurant, Herr Kürmann, und man kennt Sie hier nicht. *Zum Kellner:* Was haben Sie heute für Fisch?

KELLNER Ich zeige Ihnen.

Der Kellner geht weg.

REGISTRATOR Wenn Sie mit dem Mädchen speisen, ich

könnte mir denken, daß Sie sich in vier Monaten, wen Fräulein Doktor Stein aus Paris kommt, vollkomme anders verhalten, Herr Kürmann, unbefangener, intel lektueller, geistreicher, so daß Fraulein Doktor Stei kurz nach zwei Uhr ihre Handtasche nimmt und auf bricht: – Biografie ohne Antoinette ...

Der Kellner kommt mit einer Platte voller Fische.

REGISTRATOR Ah.

KELLNER Hecht.

REGISTRATOR Schauen Sie her!

KELLNER Heute gefangen.

REGISTRATOR Sehr schön.

KELLNER Seezunge.

Felchen.

Eine sehr schöne Schleie.

REGISTRATOR Für zwei Personen?

KELLNER O ja.

REGISTRATOR Forellen?

KELLNER Immer nur lebend.

REGISTRATOR Was ist das denn?

KELLNER Spado.

REGISTRATOR Spado?

KELLNER Schwertfisch.

REGISTRATOR Haben Sie schon Schwertfisch gegessen?

KELLNER Ganz frischer Hummer.

Kürmann betrachtet die Ballett-Schülerin.

REGISTRATOR Haben Sie den Hummer gesehen?

Wieder das schlechte Klavier nebenan: die Ballett-Schülerinnen tanzen wieder aus der Seitenbühne heraus, gefolgt vom Tanzlehrer, und das ausgeschiedene Mädchen reiht sich in die Gruppe, die wieder hinaustanzt, Stille.

REGISTRATOR Wie Ihnen beliebt.

Der Kellner hält immer noch den Hummer.

REGISTRATOR Vielleicht ein andermal.

KELLNER Bitte sehr.

Der Kellner geht weg.

REGISTRATOR Sehen Sie: – Sie können wählen.

KÜRMANN Weiter!

REGISTRATOR Warum schreien Sie mich an?

KÜRMANN Wofür halten Sie mich eigentlich? Als gehe es hier um die Wahl von Weibern! Wenn ich schon die Genehmigung habe, dann überhaupt keine Geschichte mit einer Frau.

REGISTRATOR Wie Ihnen beliebt.

Krolevsky sitzt unverändert.

KROLEVSKY Ab posse ad esse valet, ab esse ad posse non valet. *Er zündet die Zigarette an:* Aber Sie wollten, glaube ich, etwas Dringliches sagen –

Kürmann setzt sich auf die Tischkante.

KÜRMANN Ohne Umschweife, Krolevsky – Sie brauchen mir nicht zu antworten – Sie sind Mitglied der Kommunistischen Partei, was bis heute nicht bekannt ist, mindestens Verbindungsmann, wahrscheinlich sogar ein führender Kopf der Partei. Ihr Fach, Mathematik, dekuvriert Sie nicht. Ihre häufigen Reisen, ob nach Prag oder Paris oder Mexico-City, sind durch Kongresse fachlicher Art bestens getarnt. Auch trinken Sie ja nicht, um nicht in später Stunde sich auszuplaudern. *Er trinkt.* Gesetzt den Fall: eines Tages wird es bekannt, und unter irgendeinem Vorwand, jedenfalls im Namen der Philosophischen Fakultät, wird auf Ihre weitere Lehrtätigkeit verzichtet werden müssen, was uns oder einige von uns ebenso selbstverständlich wie aufrichtig empört: Unterdrückung der Lehrfreiheit und so weiter. Es kommt zum Fall Krolevsky. Ich selbst, Non-Konformist, werde einen Aufruf verfassen: »Bestürzt über die jüngsten Ereignisse an unsrer Universität«, einen ebenso besorgten wie besonnenen Aufruf, den unterzeichnet zu haben eine Ehre ist und der im übrigen, versteht sich, nicht das mindeste bewirkt.

KROLEVSKY Sie sprechen aus Erfahrung.

KÜRMANN Allerdings.

KROLEVSKY Was, Herr Kollege, wollen Sie mir sagen.

KÜRMANN Wenn wir noch einmal anfangen können, wir alle wissen, was wir anders zu machen haben: – Unterschriften für, Unterschriften gegen, Proteste, Kundgebungen, und was dabei herauskommt, ist die Ohnmacht der Intelligenz, der Opposition, die Gewalt vorerst im Namen des Rechtsstaates, der Terror: die Quittung dafür, daß unsereiner nie gehandelt hat. *Zum Registrator:* Wann war diese Unterredung mit Wladimir Krolevsky genau?

Der Registrator blättert im Dossier.

KÜRMANN Kurz darauf wurde Professor Krolevsky verhaftet, Hausdurchsuchung, Entlassung aus dem Lehramt.

REGISTRATOR 3. 12. 1959.

KÜRMANN Nehmen Sie's in mein Dossier.

REGISTRATOR Was?

KÜRMANN »3. 12. 1959: Eintritt in die KP.«

Der Registrator notiert.

KROLEVSKY Ich gestehe, Herr Kollege, Sie überraschen mich. Die Partei wird Ihren Antrag prüfen. Ich hoffe, Herr Kollege, Sie sind sich bewußt, was das bedeutet für Ihre akademische Karriere?

KÜRMANN Ich bin mir sehr bewußt, Herr Kollege, was das bedeutet; deswegen mach ich's ja. *Zum Registrator, der mit dem Dossier zu Kürmann tritt:* Was soll ich?

EGISTRATOR Unterzeichnen.

Kürmann unterzeichnet im Dossier.

ÜRMANN Genosse Krolevsky –

Arbeitslicht.

ÜRMANN Was ist los?

EGISTRATOR Der Arzt erwartet Sie.

Ein Bühnenarbeiter bringt einen weißen Sessel und stellt ihn in den Vordergrund rechts, ein zweiter Bühnenarbeiter rollt einen Instrumenten-Wagen dazu, dann gehen sie weg. Krolevsky erhebt sich.

ROLEVSKY Was uns betrifft, Herr Kollege: unser gesellschaftlicher Verkehr bleibt wie bisher. Ab und zu ein kleines Gespräch im Hof der Universität. Ab und zu. Unsere Anrede bleibt: Herr Kollege. *Er gibt die Hand.* Sie wissen, Herr Kollege, daß Sie fortan überwacht werden. *Er setzt den Hut auf.* Wenn Sie hier eine party geben, bin ich in Zukunft nicht dabei.

ÜRMANN Wieso party?

ROLEVSKY Wenn Sie demnächst Professor werden.

ÜRMANN Dazu wird es nicht kommen!

Spiellicht im Vordergrund: es erscheint ein Arzt im weißen Kittel, er hält einen Filmstreifen gegen das Licht.

RZT Haben Sie Schmerzen?

ÜRMANN Wo?

RZT Das frage ich Sie! Ihr EKG ist schön. *Er gibt Kürmann den Filmstreifen.* Sehr schön. *Er geht zum Instrumenten-Wagen.* Was mir nicht gefällt, ist ihr Urin.

ÜRMANN Wieso?

RZT Wir werden ja sehen.

EGISTRATOR Sie müssen die Jacke ausziehen.

ARZT Wir brauchen ein wenig Blut.

Kürmann zieht die Jacke aus.

REGISTRATOR Sie können sich setzen.

Kürmann setzt sich und krempelt den Hemdärmel auf

ARZT Haben Sie Sorgen?

Der Arzt sticht und entnimmt Blut.

ARZT Was sagen Sie zum Fall Krolevsky?

Der Arzt gibt eine Watte.

REGISTRATOR Halten Sie die Watte drauf.

Kürmann hält die Watte drauf.

KÜRMANN Einmal, als Kind, hatte ich Mumps, einmal die Masern, aber sonst ...

Der Arzt füllt das Blut in ein Glas.

ARZT Schwester Agnes? *Er geht weg.*

KÜRMANN Was haben wir jetzt für ein Datum?

REGISTRATOR 12. April 1960: Fräulein Stein ist noch in Paris. Sie packt heute ihre Koffer, um Paris zu verlassen Das können Sie nicht ändern.

KÜRMANN Hm.

REGISTRATOR Sie ist mit den Gästen gekommen, die Sie feierten, als Sie Professor wurden, aber diesmal haben Sie alles getan, um zu verhindern, daß sie Professor werden.

Spiellicht auch im Zimmer: es erscheinen zwei Herren in Mantel und Hut, begleitet von Frau Hubalek.

REGISTRATOR Es scheint zu klappen!

Die grauen Herren sehen sich um.

FRAU HUBALEK Sie wünschen? Der Herr Doktor ist nicht zuhaus. Wer sind Sie überhaupt? Ich bin die Haushälterin hier. Darf man fragen, wer die Herren sind?

Einer zeigt einen Ausweis.

REGISTRATOR Bleiben Sie sitzen.

KÜRMANN Hausdurchsuchung?

REGISTRATOR Sie sind beim Arzt.

Kürmann setzt sich wieder.

REGISTRATOR Halten Sie die Watte drauf.

Einer der Herren öffnet Schubladen.

REGISTRATOR Sie stehen unter dem Verdacht, daß Sie die Welt verändern wollen. Niemand wird auf den Verdacht kommen, daß Sie bloß Ihre Biografie verändern wollen.

Der andere Herr öffnet Bücher.

HERR Frau –?

FRAU HUBALEK Hubalek.

HERR Sagen Sie, Frau Hubalek –

FRAU HUBALEK Ich weiß von nichts.

HERR Woher stammen Sie?

FRAU HUBALEK Aus Böhmen.

HERR Aus Böhmen.

FRAU HUBALEK Was hat der Herr Doktor denn getan?

HERR Sie haben Verwandte.

FRAU HUBALEK In Böhmen.

HERR In Böhmen.

FRAU HUBALEK Wieso nicht?

HERR Antworten Sie auf unsre Fragen.

FRAU HUBALEK Er will nicht, daß man seine Bücher anfaßt.

HERR Wie oft besuchen Sie Ihre böhmischen Verwandten?

FRAU HUBALEK Nie.

HERR Das ist aber wenig.

FRAU HUBALEK Es genügt mir aber.

Im Vordergrund erscheint die Krankenschwester.

SCHWESTER Der Herr Doktor kommt sofort.

Die Krankenschwester nimmt etwas und geht weg.

HERR Sagen Sie, Frau –

FRAU HUBALEK Hubalek.

HERR Gibt's hier noch andere Zimmer?

Die grauen Herren und Frau Hubalek gehen weg.

REGISTRATOR Sie werden nichts finden, aber machen Sie sich deswegen keine Sorgen: Verdacht bleibt Verdacht, und Verdacht genügt.

Zimmer dunkel; im Vordergrund kommt der Arzt zurück.

ARZT Schlimm ist es nicht. Immerhin müssen Sie sich schonen, mit der Leber ist nicht zu spaßen ... Also: kein Foie gras, keine Escargot à la Bourgogne, überhaupt nichts Gewürztes. Kein Pfeffer Senf Curry. Meerfisch keinesfalls –

Neon-Licht.

REGISTRATOR Ich schreibe auf.

Der Registrator notiert.

ARZT Keine Steinfrüchte: Aprikosen Kirschen Pflaumen Pfirsich. Kein Knoblauch. Nichts was bläht. Quark jederzeit, Quark soviel wie möglich –

REGISTRATOR Gemüse?

ARZT Aber salzlos. Ausgenommen Kohl, keine weißen Bohnen, überhaupt keine Bohnen, keine Zwiebeln –

REGISTRATOR Nichts was bläht.

ARZT Nichts Kaltes: kein Bier. Whisky und Vodka und so weiter, Gin, Kirsch, Williame und so weiter, Steinhäger, Grappa, Marc und so weiter, Cognac, Calvados und so weiter: unter keinen Umständen.

REGISTRATOR Wein?

ARZT Ihr Vater, sagen Sie, war ein Trinker?

KÜRMANN So schien es mir.

ARZT Vor allem kein Weißwein.

REGISTRATOR Wie ist es mit Rotwein?

ARZT Überhaupt kein Alkohol.

REGISTRATOR Was dann?

ARZT Milch.

REGISTRATOR Mineralwasser?

ARZT Aber ohne Kohlensäure. Tee. Aber kein Schwarztee, versteht sich. Kamillen Lindenblüten Pfefferminz Hagebutten und so weiter. Kaffee keinesfalls. Mögen Sie Yoghurt?

REGISTRATOR Ob Sie Yoghurt mögen?

ARZT Yoghurt jederzeit. Quark so viel wie möglich. Gemüse jederzeit, aber salzlos, Meerfisch keinesfalls –

REGISTRATOR Das haben wir schon.

ARZT Was Sie essen dürfen: Forelle blau.

REGISTRATOR Immerhin.

ARZT Ohne Butter.

REGISTRATOR Hummer?

ARZT Um Gottes willen.

REGISTRATOR Da haben Sie aber Glück gehabt. Beinahe hätte Herr Kürmann neulich einen Hummer gegessen.

ARZT Um Gottes willen.

REGISTRATOR Fleisch?

ARZT Gekocht. Ohne weiteres. Ohne Fett. Nichts Geschmortes. Gekocht oder vom Grill: salzlos. Ohne Gewürze, wie gesagt. Keine Würste und so weiter –

REGISTRATOR Brot?

ARZT Knäckebrot.

REGISTRATOR Nichts was bläht.

ARZT Quark so viel wie möglich.

Es kommt die Krankenschwester.

ARZT Ich komme.

Die Krankenschwester fährt den Instrumenten-Wagen weg.

REGISTRATOR Sonst noch etwas?

ARZT Schwitzen, viel schwitzen.

REGISTRATOR Wie?

ARZT Sport, Wandern, Sauna. *Er legt Kürmann die Hand auf die Schulter.* Schlimm ist es nicht, eine leichte Leberschwellung, sonst habe ich nicht das mindeste gefunden. Was vor allem wichtig ist: keine Aufregung, mein Lieber, keinerlei Aufregung ...

Arbeitslicht: man sieht wieder die ganze Bühne, im Hintergrund haben sich viele Leute versammelt, Herren im Smoking, Damen in Abendkleidern, alle mit einem Sektglas in der Hand. Der Arzt ist weg.

KÜRMANN Von Krebs kein Wort.

REGISTRATOR Nein.

KÜRMANN Sonst hat er nichts gefunden.

REGISTRATOR Sie können die Jacke wieder anziehen.

KÜRMANN Quark so viel wie möglich ...

REGISTRATOR Was überlegen Sie?

Kürmann erhebt sich und nimmt seine Jacke.

KÜRMANN Wer sind diese Leute?

REGISTRATOR Freunde.

KÜRMANN Was wollen sie?

REGISTRATOR Man will Sie feiern.

KÜRMANN Wieso?

REGISTRATOR Sie sind Professor geworden.

Spiellicht im Zimmer: das Zimmer ist voller Gäste, sie stehen in Gruppen und plaudern, man versteht kein Wort.

ÜRMANN Professor?
EGISTRATOR Es wundert mich auch, offen gestanden.
ÜRMANN Ein Mitglied der Kommunistischen Partei wird nicht Professor hierzulande: 1960. Das ist unmöglich.
EGISTRATOR – unwahrscheinlich.

Kürmann schüttelt den Kopf.

IENRIK Hannes!
EGISTRATOR Man ruft nach Ihnen.
IENRIK Wo steckt er denn?

Kürmann schüttelt den Kopf.

EGISTRATOR Die Gäste wollen aufbrechen, es ist spät geworden. *Er hilft Kürmann in die Jacke.* Das brauche ich Ihnen, Herr Professor, nicht zu erklären: Kein System garantiert das Wahrscheinliche für jeden Fall.

Kürmann wird entdeckt.

IENRIK Da bist du ja.
CHNEIDER Es ist zwei Uhr.
IENRIK Herr Professor, wir verlassen dich jetzt.

Kürmann verschwindet in der Gesellschaft, Stimmengewirr, die Gesellschaft verläßt gruppenweise das Zimmer: es bleibt die junge Dame im Abendkleid genau wie zu Anfang, sie sitzt im Fauteuil und wartet, sie trägt die Hornbrille. Stimmen der Gesellschaft draußen, kurz darauf kommt Kürmann zurück: ohne zu pfeifen.

NTOINETTE »Ich gehe auch bald.«

Pause.

ÜRMANN »Ist Ihnen nicht wohl?«
NTOINETTE »Im Gegenteil.« *Sie nimmt sich eine Zigarette.* »Nur noch eine Zigarette.« *Sie wartet vergeblich auf Feuer und zündet selber an.* »Wenn ich nicht störe.« *Sie raucht vor sich hin:* »Ich habe es sehr genossen. Einige waren sehr nett, fand ich, sehr anregend –«

Pause.

ANTOINETTE »Haben Sie noch etwas zu trinken?«

Kürmann rührt sich nicht.

ANTOINETTE »Warum sehen Sie mich so an?«

Schweigen.

Zweiter Teil

Arbeitslicht. Der Registrator tritt an sein Pult. Spiellicht: das Zimmer, Frau Hubalek räumt auf, nach einer Weile kommt Kürmann in einem Morgenmantel, Briefe in der Hand.

KÜRMANN Frau Hubalek – Gutentag – wären Sie so freundlich, Frau Hubalek, ein Frühstück zu machen. *Er steht und öffnet Briefe.* Ich habe gefragt, ob Sie so freundlich wären, Frau Hubalek, ein Frühstück zu machen.

Frau Hubalek geht weg.

KÜRMANN Ich weiß genau, was Sie jetzt denken. Aber Sie irren sich. Sie denken, ich tue immer wieder dasselbe, und wenn ich noch hundertmal anfangen könnte. *Er liest einen Brief und wirft ihn in den Papierkorb.* Glückwünsche! *Er wirft das ganze Bündel in den Papierkorb.* – aber Sie irren sich. Wir werden nicht aufs Land hinausfahren. Wir werden einander nicht kennenlernen. *Er setzt sich an den Schreibtisch.* Es wird unser erstes und unser letztes Frühstück sein.

REGISTRATOR Wie Ihnen beliebt.

KÜRMANN Es wird ihr nicht gelingen.

REGISTRATOR Was?

KÜRMANN Wir werden kein Paar.

REGISTRATOR Sie haben noch immer die Wahl.

Antoinette erscheint im Abendkleid, sie bleibt bei der Türe stehen, so daß Kürmann sie nicht wahrnimmt.

KÜRMANN Was ist heute für ein Wochentag?

REGISTRATOR Donnerstag.

Kürmann blickt auf seine Armbanduhr.

REGISTRATOR Um elf Uhr haben Sie eine Sitzung, Sie erinnern sich, eine Sitzung, die Sie damals versäumt haben – *Man hört wieder das schlechte Klavier nebenan, die drei Takte, die abbrechen, Kürmann sieht Antoinette und erhebt sich.*

ANTOINETTE Ich habe deine Zahnbürste genommen.

KÜRMANN Ich habe vergessen zu fragen: Kaffee oder Tee? Vielleicht nimmst du lieber Kaffee. *Er geht zur Türe* Und ein weiches Ei?

ANTOINETTE Ich nicht.

Pause, sie stehen.

ANTOINETTE Wie spät ist es eigentlich?

KÜRMANN Um elf Uhr habe ich eine Sitzung.

Antoinette kramt in ihrer Handtasche.

ANTOINETTE Wenn ich jetzt nur wüßte, wo ich meinen Wagen parkiert habe. Die Schlüssel habe ich. *Sie überlegt* Eine Allee, kann das sein, eine Allee mit einem Denkmal . . .

KÜRMANN Hier gibt's keine Allee.

ANTOINETTE Komisch.

KÜRMANN Wollen wir uns nicht setzen?

Frau Hubalek kommt und deckt den Tisch, die beiden stehen und schweigen und warten, bis Frau Hubalek wieder weg ist.

KÜRMANN Unser Tee kommt sofort.

ANTOINETTE Jetzt weiß ich! wo ich meinen Wagen habe *Sie lacht.* Ich wundere mich jedesmal, daß ich meinen Wagen wiederfinde. *Beiläufig:* Kennen Sie den jungen Stahel?

KÜRMANN Stahel?

ANTOINETTE Der hat meinen Wagen gefahren. Er wollte nich

heraufkommen. Und das mit der Allee war vorher …

Stundenschlag: zehn Uhr.

ANTOINETTE Zehn Uhr?

Antoinette nimmt ihre Abendkleidjacke vom Sessel.

KÜRMANN Du willst schon gehen?

ANTOINETTE Wenn Sie's nicht übelnehmen, Hannes.

KÜRMANN Ohne Frühstück?

ANTOINETTE Auch ich habe zu arbeiten. Zehn Uhr! Ich muß mich ja umziehen. O Gott! Um zehn Uhr war ich verabredet.

Kürmann schaut zu, wie sie die Jacke anzieht.

ANTOINETTE Machen Sie sich keine Sorgen!

KÜRMANN Warum lachst du?

ANTOINETTE Männersorgen. Ich schlafe nicht mit vielen Männern, aber wenn es dazu kommt, bin ich jedesmal froh, Hannes, genau wie Sie, daß ich nachher wieder mit mir allein bin. Wo habe ich jetzt bloß meine Uhr?

KÜRMANN – im Bad, glaube ich.

Antoinette geht ins Badezimmer.

KÜRMANN So war das?

REGISTRATOR Genau so.

KÜRMANN Kein Wort von Wiedersehen?

REGISTRATOR Kein Wort.

KÜRMANN Das verstehe ich nicht –

REGISTRATOR Ihre Erinnerung, Herr Kürmann, hat gedichtet: niemand hat sich auf ihr linkes oder rechtes Knie gesetzt, kein Arm am Hals, kein Kuß, der zu verlängerter Zärtlichkeit nötigt. Nichts von alledem. Auch sie hat eine Verabredung. Sie wirkt weder enttäuscht noch verwirrt, im Gegenteil, offenbar hat die Nacht ihr gefallen, aber vorbei ist vorbei, sie beharrt nicht einmal auf der Vertraulichkeit der nächtlichen Anrede.

KÜRMANN Das verstehe ich nicht –

REGISTRATOR So war das, Herr Kürmann.

KÜRMANN Wieso habe ich denn die Sitzung versäumt?

Neon-Licht aus.

KÜRMANN Was macht sie denn so lang?

REGISTRATOR Sie sucht ihre Uhr. *Pause.*

Antoinette kommt zurück, sie zieht ihre Armbanduhr an.

ANTOINETTE – heute will ich nochmals diese Räume besichtigen, wissen Sie, wegen meiner Galerie. Leider ist kein Lift im Haus. Das ist der einzige Haken, aber die Räume wären herrlich. Genau was ich suche. Groß und nüchtern. Leider sehr teuer. Man müßte ein Oberlicht einbauen. Drum treffe ich heute diesen jungen Architekten.

REGISTRATOR Stahel.

ANTOINETTE Um zu wissen, was das kosten würde. Die Lage ist einmalig, und wenn es gelingt mit der Galerie, dann nehme ich die untere Wohnung dazu und mache meinen kleinen Verlag. Später einmal. Und wenn es nicht klappt, gehe ich zurück nach Paris – das wird sich heute entscheiden …

Pause.

REGISTRATOR Sie brauchen sie nur zum Lift zu führen.

ANTOINETTE Ja.

KÜRMANN Hoffentlich klappt es, ich meine die Sache mit dem Oberlicht.

ANTOINETTE Ja.

KÜRMANN Ja.

ANTOINETTE Halten Sie mir den Daumen!

Kürmann begleitet sie hinaus, Frau Hubalek kommt und bringt den Tee und geht wieder, dann kommt Kürmann zurück.

KÜRMANN Eine ungewöhnliche Frau.

REGISTRATOR Sehen Sie.

KÜRMANN Eine großartige Frau.

REGISTRATOR Sie haben sie unterschätzt, Sie haben damals nicht glauben wollen, daß eine Frau, nachdem sie mit Ihnen geschlafen hat, auch lieber allein sein möchte.

KÜRMANN Eine einmalige Frau.

Neon-Licht.

REGISTRATOR Was die Sitzung um elf Uhr betrifft, Sie erinnern sich: *Er liest aus dem Dossier:* »Traktandum eins: Wahl des neuen Rektors der Universität –«

Kürmann tritt ans Fenster.

REGISTRATOR Es dürfte wichtig sein, Herr Kürmann, nicht nur für Sie persönlich, aber auch für Sie, daß die Wahl nicht auf den Kollegen Hornacher fällt. Kollege Hornacher ist, wie man weiß, leidenschaftlicher Antikommunist, als Gelehrter unbedeutend, aber ein Mann von Gesinnung. Ein Mann der geistigen Landesverteidigung. Kollege Hornacher, zum Rektor gewählt, wird alles unternehmen, damit Sie, Herr Kürmann, nicht lange im Lehramt bleiben. Auch das entscheidet sich heute... Hören Sie zu?... In der ersten Fassung Ihrer Biografie haben Sie die heutige Sitzung versäumt, weil Sie meinten, Sie müßten mit der jungen Dame aufs Land hinaus fahren, um Fisch zu essen und Landwein zu trinken. Hornacher wurde gewählt, wenn auch knapp. Sie haben Ihr Versäumnis dann bereut. Sie erinnern sich? – dabei hat Hornacher Ihnen nichts anhaben können in der ersten Fassung: da waren Sie ja nicht Mitglied der Kommunistischen Partei.

KÜRMANN Warum fährt sie nicht? *Pause.* Sie fährt nicht.

REGISTRATOR Vielleicht wegen der Batterie, das kennen Sie ja: sie läßt das Standlicht brennen, dann wundert sie sich, warum der Anlasser streikt. Oder sie sieht, daß Sie am Fenster stehen.

Kürmann verläßt das Fenster.

REGISTRATOR Was überlegen Sie?

Kürmann gießt Tee in eine Tasse.

KÜRMANN Ich habe sie unterschätzt.

REGISTRATOR Wer zweifelt daran.

Kürmann steht und trinkt Tee.

KÜRMANN Was wird sie jetzt tun?

REGISTRATOR – sich nicht mehr unterschätzen lassen.

Kürmann trinkt Tee.

REGISTRATOR Ihre Frau hat unsere volle Bewunderung, das können Sie glauben, unsere volle Bewunderung. Wenn ich das sagen darf: sie ist Ihnen überlegen. Machen Sie sich keine Sorgen darüber, was sie jetzt tun wird. Eine Frau von ihrer Intelligenz wird ihren Weg schon machen, Herr Kürmann, ohne Sie. Seien Sie getrost. Sie weiß, was sie will. Sie ist eine Frau, aber mehr als das: eine Persönlichkeit, aber mehr als das: eine Frau.

KÜRMANN O ja.

REGISTRATOR Sie wird eine Galerie leiten, GALERIE ANTOINETTE, oder einen kleinen Verlag, EDITION ANTOINETTE, und wenn es nicht klappt, so kann sie jederzeit nach Paris zurück.

KÜRMANN Zu ihrem Tänzer.

REGISTRATOR Sie trifft jetzt einen jungen Architekten, um zu erfahren, was ein Oberlicht kostet. Vielleicht wird das zu teuer, aber der junge Architekt weiß sie zu schätzen, eine Frau voller Pläne und unabhängig, und eines Tages, wer weiß, bekommt sie ein Kind, das ihre Pläne zerschlägt, aber das alles braucht Sie, Herr Kürmann, nicht zu bekümmern: – sie ist weg.

KÜRMANN Ja.

REGISTRATOR Kümmern Sie sich um das Institut.

Kürmann setzt sich an den Schreibtisch.

REGISTRATOR Was Sie jetzt in Händen halten, ist ein Dokument, das Sie an der heutigen Sitzung vorlegen sollen, eine Foto-Kopie betreffend Horst Dieter Hornacher, der heute zum Rektor gewählt werden soll: seine Unterschrift im Jahr 1941.

Kürmann überfliegt das Dokument.

REGISTRATOR Es wird Zeit, daß Sie sich ankleiden, damit Sie die heutige Sitzung nicht wieder versäumen. *Er blickt auf seine Uhr, dann auf Kürmann:* Zehn Uhr zwanzig...

KÜRMANN Können wir nochmals zurück?

REGISTRATOR Warum?

KÜRMANN Ich habe diese Frau unterschätzt.

REGISTRATOR Sie werden sie wieder unterschätzen.

KÜRMANN Wieso?

REGISTRATOR Wie Sie wollen.

Neon-Licht aus, Antoinette kommt zurück.

REGISTRATOR Herr Kürmann möchte nochmals zurück.

Kürmann nimmt ihr die Hornbrille ab.

ANTOINETTE Was soll das?

KÜRMANN Ich lasse Sie nicht weg.

ANTOINETTE Sie haben eine Sitzung.

KÜRMANN Im Ernst.

ANTOINETTE Im Ernst.

KÜRMANN Wir kennen einander nicht.

ANTOINETTE Das ist doch das Schöne.

KÜRMANN Warum lachen Sie?

ANTOINETTE Brauchen Sie am andern Morgen eine Liebeserklärung?

Pause.

ANTOINETTE Geben Sie mir die Brille.

KÜRMANN Ich mache einen Vorschlag: ich lasse die Sitzung, die allerdings wichtig wäre, und Sie lassen diesen Architekten mit seinem Oberlicht, wir fahren zusammen aufs Land, wir fahren irgendwohin.

ANTOINETTE Hinaus in die Natur?

KÜRMANN Es ist ein herrlicher Tag.

ANTOINETTE Hand in Hand durch Schilf?

KÜRMANN Wir brauchen nicht zu wandern, wir streifen nicht durch Schilf, wir setzen uns in eine Wirtschaft am See, wir essen einen Fisch und trinken einen leichten Landwein dazu, das alles braucht nicht geschmacklos zu sein.

Sie lächelt.

KÜRMANN Antoinette, ich bitte Sie darum.

ANTOINETTE Ich denke, wir duzen uns.

KÜRMANN Entschuldige.

Kürmann gibt ihr die Hornbrille zurück.

ANTOINETTE »Wo habe ich jetzt bloß meine Uhr.«

KÜRMANN »– im Bad, glaube ich.«

Antoinette geht ins Badezimmer.

REGISTRATOR Also doch die erste Fassung! *Neon-Licht.* Sie wissen, was darauf folgt: *Er liest aus dem Dossier:* »Mittagessen im Hotel zum Schwanen, Diskussion über General de Gaulle. / Abends allein, Nachricht, daß Hornacher zum Rektor gewählt worden ist. / Samstagvormittag: Fräulein Stein übers Wochenende bei ihren Eltern. Montag im Institut, später Apéritif in der Stadt, abends beide besetzt, aber Anruf nach Mitternacht: das Oberlicht sei unerschwinglich.«

KÜRMANN Und so weiter!

REGISTRATOR »– Mittwoch: Antoinette fliegt nach Paris

zurück, Versprechen in der Flughafen-Bar, daß man nie schreiben wird. / Freitag: Vortrag in der Philosophischen Gesellschaft, Verhaltensforschung und Anthropologie. / Wochenende zusammen in Paris, Hotel Port Royal.«

KÜRMANN Und so weiter und so weiter!

REGISTRATOR »Sie ist Sekretärin bei Gallimard.«

KÜRMANN Wem lesen Sie das vor?

REGISTRATOR Und so weiter. *Er blättert, aber liest nicht vor.* – Glück, Griechenlandreise, Glück, Schwangerschaftsunterbrechung, Glück ... *Er nimmt eine Karte aus dem Dossier:* »Wir heiraten: Antoinette Stein, Hannes Kürmann, Juni 1961.«

Kürmann stopft seine Pfeife.

REGISTRATOR Also dabei bleibt es ... Sie haben noch immer die Wahl – also Frühstück gemeinsam?

KÜRMANN Ja.

Der Registrator notiert ins Dossier:

REGISTRATOR »Frühstück gemeinsam.«

Man hört einen Krach von der Straße.

KÜRMANN Was war das?

REGISTRATOR Das gilt nicht.

KÜRMANN – ein Unfall?

REGISTRATOR Auch dies wäre möglich gewesen. *Er nimmt einen Zettel:* »27. 5. Zeit 10.17. Ein Austin-Cooper, Nummernschild 907139, wird bei der Ausfahrt aus dem Parkplatz gestreift vom Anhänger eines Lastwagens –«

KÜRMANN Antoinette!

REGISTRATOR Offenbar hat sie nicht in den Rückspiegel geschaut.

KÜRMANN Tot?

REGISTRATOR Fassen Sie sich.

KÜRMANN Tot?

REGISTRATOR Schnittwunden im Gesicht. *Er zerknüllt den Zettel.* Aber das gilt nicht, Herr Kürmann, zum Glück haben wir registriert: Frühstück gemeinsam.

Man hört Sirenen eines Sanitätswagens.

REGISTRATOR Stop!

Arbeitslicht.

REGISTRATOR Es bleibt bei der ersten Fassung. –

Die Sirenen verstummen.

Spiellicht: das Zimmer wie vorher.

REGISTRATOR Weiter.

Antoinette kommt aus dem Badezimmer zurück.

REGISTRATOR Weiter! Der Tee ist da –

Kürmann und Antoinette bleiben stehen.

REGISTRATOR Warum setzen Sie sich nicht?

KÜRMANN Müssen wir jetzt alles wiederholen? – auch was man nicht zu ändern wünscht: Hotel Port Royal – auch das Glück und alles ... Das geht doch nicht.

ANTOINETTE Nein.

KÜRMANN – die Freude, die Erwartung: wie sie dasteht an der Gare de l'Est – und überhaupt: unsere Gespräche, unsere glücklichen Gespräche ... Wie soll man das wiederholen, wenn die Geheimnisse verbraucht sind? – wenn das Ungewisse verbraucht ist, der Sog der Erwartung von Augenblick zu Augenblick ... Wie stellen Sie sich das vor: dieser Morgen in Saloniki, und wie wir auf diesem kleinen Schiff stehen mit den stinkenden Schafen – meine Scherze, ihre Scherze: wer soll da noch einmal lachen?

ANTOINETTE Können wir das nicht überspringen?

KÜRMANN Können wir das nicht überspringen?

REGISTRATOR Ausgerechnet die Freude?

KÜRMANN Ja.

ANTOINETTE Ja.

KÜRMANN Wiederholen Sie einmal eine Freude, wenn Sie schon wissen, was darauf folgt!

Neon-Licht.

REGISTRATOR Also was möchten Sie ändern? *Er blättert im Dossier hin und her:* – die Schwangerschaftsunterbrechung?

Kürmann und Antoinette blicken einander an, einen Augenblick lang zögern sie, dann schütteln beide den Kopf.

REGISTRATOR Was denn?

Der Registrator blättert weiter.

KÜRMANN Ich weiß, was ich ändern möchte.

REGISTRATOR Nämlich?

KÜRMANN 2. Juni 1963.

ANTOINETTE Was war da?

REGISTRATOR 1963, Juni –

KÜRMANN Vormittag.

Der Registrator sucht im Dossier und findet:

REGISTRATOR – die Szene mit der Ohrfeige?

Kürmann nickt.

REGISTRATOR Bitte. *Neon-Licht aus.* Es ist neun Uhr vormittags, Frau Kürmann: Sie sind noch nicht zuhaus, wir wissen nicht, wo Sie sich zu dieser Zeit befinden.

Antoinette geht weg.

REGISTRATOR Bitte.

Kürmann zündet jetzt seine gestopfte Pfeife an.

REGISTRATOR 1963. *Er liest aus dem Dossier:* »Präsident Kennedy besucht West-Berlin. / Erdbeben in Libyen. / Fidel Castro als erster Ausländer zum Held der Sovjetunion ernannt –«

Man hört ein Harmonium nebenan, dazu Halleluja-Chor, der abbricht, Wiederholung, dann Stille.

KÜRMANN Was soll denn das?

REGISTRATOR Die Ballett-Schule nebenan, Sie erinnern sich, hat leider Bankrott gemacht. Eine Sekte hat das Nachbarhaus übernommen. Leider lassen die immer das Fenster offen –

Harmonium ohne Halleluja.

REGISTRATOR Wenn Sie's nicht aushalten, warum wählen Sie nicht eine andere Wohnung? Übrigens haben Sie's ausgehalten, Herr Kürmann, jahrelang.

Harmonium mit Halleluja; Kürmann nimmt einen Aschenbecher und wirft ihn hinüber, man hört Klirren, das Halleluja bricht ab.

REGISTRATOR Das ist neu.

Neon-Licht.

REGISTRATOR Sie werden die Scheibe bezahlen müssen.

KÜRMANN Bitte.

REGISTRATOR Das sagen Sie so, Herr Kürmann, aber Sie haben jetzt wenig Geld: Sie sind seit einem Jahr ohne Einkommen.

KÜRMANN Wieso?

Der Registrator notiert ins Dossier.

KÜRMANN Was notieren Sie?

REGISTRATOR Die Scheibe. *Neon-Licht aus.* Sie sind Mitglied der KP geworden, um Ihre Biografie zu ändern, und sie hat sich inzwischen verändert, Herr Kürmann, in gewisser Hinsicht – *Er zeigt:* Magnifizenz Hornacher.

Ein Herr in gediegenem Mantel, Homburg in der Hand, steht im Zimmer, als habe ein längeres Gespräch bereits stattgefunden, Kürmann steht mit den Händen in den Taschen seines Morgenmantels.

KÜRMANN Ich verstehe, Magnifizenz, ich verstehe.

HORNACHER Ich bitte um Entschuldigung, daß ich beim Frühstück störe. Aber ich empfand es als ein Gebot der Korrektheit, daß ich nicht mit dieser Angelegenheit vor den Senat trete, bevor ich mich noch einmal persönlich erkundigt habe. *Pause.* Ich warte auf eine klare Antwort.

KÜRMANN Magnifizenz, ich bin Mitglied der Kommunistischen Partei. Ich glaube an die Ziele der Kommunistischen Partei, sofern sie den Marxismus-Leninismus vertritt, und bitte den Senat, die eben erwähnten Konsequenzen zu ziehen. *Hornacher setzt den Homburg auf.*

REGISTRATOR Warten Sie!

HORNACHER Eine klare Antwort.

REGISTRATOR Vielleicht möchte Herr Professor Kürmann, nachdem er sich selbst gehört hat, anders antworten. *Zu Kürmann:* Vielleicht erscheint Ihnen diese Antwort zu simpel. Oder zu heroisch.

Hornacher nimmt den Homburg ab.

KÜRMANN Magnifizenz –

HORNACHER Nun?

KÜRMANN Ich glaube nicht an Marxismus-Leninismus. Was natürlich nicht heißt, daß ich die Russische Revolution für ein Unglück halte. Im Gegenteil. Ich glaube nicht an Marxismus-Leninismus als eine Heilslehre auf Ewigkeit. Das wollte ich sagen. Allerdings glaube ich auch nicht an eure christliche Heilslehre vom freien Unternehmertum, dessen Geschichte wir nachgerade kennen. Das noch weniger. Es ist schwierig, Magnifizenz. Die Alternativen, die uns zurzeit aufgezwungen werden, halte ich für überholt, also für verfehlt. Da sie uns aber aufgezwungen werden, bin ich, solange ich im Westen lebe, Mitglied der Kommunistischen Partei. Ich wähle die Unfreiheit, die nicht bloß den freien Unternehmern zugute kommt. Ich bekenne, daß ich die UdSSR nicht für das Paradies halte. Sonst würde ich dahin fahren. Aber ich bestreite dem Westen jedes Recht auf einen Kreuzzug ... Das genügt, denke ich –

HORNACHER Ich denke auch.

KÜRMANN Dabei stimmt auch diese Antwort nicht. Mein Eintritt in die Partei, Dezember 1959, ist zwar nicht unbesonnen gewesen, aber im Grunde – wie soll ich sagen: – ein Akt privater Natur. Ich habe mit Konsequenzen gerechnet, sie überraschen mich nicht, ich habe sie allerdings früher erwartet. *Er lacht, dann wieder offiziell zu Hornacher:* Ich danke für die Unterredung, Magnifizenz, und bitte den Senat, die Konsequenzen zu ziehen.

Hornacher setzt den Homburg auf.

REGISTRATOR Warten Sie!

KÜRMANN War die erste Antwort besser?

REGISTRATOR Knapper.

KÜRMANN Nehmen wir die erste.

HORNACHER Eine klare Antwort.

KÜRMANN Wenn du Wert legst auf Klarheit, so kann ich noch klarer antworten. *Er sucht etwas.* Augenblick.

REGISTRATOR Nehmen Sie den Hut nochmals ab.

Hornacher nimmt den Homburg ab.

KÜRMANN Ich besitze hier eine Foto-Kopie, die der Senat,

so darf ich entgegenkommenderweise annehmen, nicht kennt: deine Unterschrift im Jahr 1941. *Er erhebt sich und gibt Hornacher die Foto-Kopie:* So hast du dafür gesorgt, daß einer, der deine akademische Laufbahn möglicherweise gekreuzt hätte, mitsamt Familie abgeschoben wurde 1941 zum Schutze des Vaterlandes –

Hornacher gibt das Dokument zurück.

KÜRMANN Du wirst sagen: eine Fälschung.

HORNACHER Ja.

KÜRMANN Dann beweise es.

HORNACHER Du irrst dich: ich habe nichts zu beweisen, sondern du hast zu beweisen, und das dürfte kaum gelingen anhand einer Foto-Kopie, die von der Kommunistischen Partei geliefert worden ist. Deine Quelle ist unglaubwürdig.

KÜRMANN Und drum bin ich untragbar.

HORNACHER Leider.

Kürmann legt die Foto-Kopie in den Schreibtisch.

HORNACHER Kann ich meinen Hut jetzt aufsetzen?

REGISTRATOR Warten Sie!

KÜRMANN Magnifizenz, du bist eine Sau, und eine Universität, die dich zum Rektor wählt –

Pause.

REGISTRATOR Welche von den drei Antworten wünschen Sie?

HORNACHER Die Konsequenz bleibt dieselbe.

KÜRMANN Er soll alle drei nehmen.

Hornacher setzt den Homburg auf.

KÜRMANN – das heißt: Nein. Er braucht nicht zu wissen, daß diese Foto-Kopie besteht ... Die erste.

REGISTRATOR Magnifizenz, es gilt die erste Antwort.

Hornacher geht weg.

Neon-Licht.

REGISTRATOR Das war 1962.

KÜRMANN Ich werde auswandern.

REGISTRATOR Jetzt ist 1963: Sie sind nicht ausgewandert

Es kommt Frau Hubalek und bringt Post.

KÜRMANN Ist meine Frau gekommen?

FRAU HUBALEK Nein.

KÜRMANN Danke, Frau Hubalek, danke.

Frau Hubalek geht weg.

KÜRMANN Ich bin nicht ausgewandert...

REGISTRATOR Nein.

KÜRMANN Ich stehe wieder in diesem Morgenrock und habe die ganze Nacht gewartet, ob sie nachhause kommt, wann sie nachhause kommt, wie sie nachhause kommt. *Er lacht.* Genau so.

REGISTRATOR Anders.

KÜRMANN Jetzt ist es zehn Uhr morgens.

REGISTRATOR In der ersten Fassung haben Sie nicht gelacht, Herr Kürmann, Sie waren besorgt.

Kürmann geht ans Telefon und wählt eine Nummer.

KÜRMANN Hallo... Hallo –

REGISTRATOR Warum sprechen Sie nicht?

KÜRMANN Das knackt jedesmal.

REGISTRATOR Sie können trotzdem sprechen.

KÜRMANN Wieso knackt es jedesmal?

REGISTRATOR Ihr Telefon wird überwacht.

Kürmann legt den Hörer auf.

REGISTRATOR Einiges hat sich schon verändert...

Bühnenarbeiter bringen ein Spinett.

KÜRMANN Was ist das?

REGISTRATOR Ein Spinett: da Antoinette, wie sich plötzlich gezeigt hat, musikalisch ist. Sie erinnern sich?

Die Bühnenarbeiter gehen weg.

KÜRMANN Was hat sich sonst verändert?

REGISTRATOR Es ist kein Whisky mehr im Haus. In der ersten Fassung, Sie erinnern sich, haben Sie ziemlich getrunken, wenn Sie auf Antoinette gewartet haben. Und auch sonst. Der Arzt hat Sie überzeugt, daß es um die Leber geht. Sie fühlen sich wohler als in der ersten Fassung.

Kürmann horcht.

KÜRMANN Endlich!

Neon-Licht aus.

Kürmann setzt sich an den Schreibtisch, Antoinette kommt in einem andern Abendkleid, sie trägt eine Frisur, die sie jünger macht als früher.

ANTOINETTE Entschuldige. *Pause, sie setzt sich zum Frühstück.* Schneiders lassen grüßen.

KÜRMANN Der Tee ist kalt.

ANTOINETTE Man fand es schade, daß du nicht gekommen bist. *Sie gießt Tee ein.* Ich habe es sehr genossen, einige waren sehr nett, fand ich, sehr anregend. *Sie trinkt.* Schneiders lassen grüßen –

KÜRMANN Das hast du schon gesagt.

ANTOINETTE Hast du schon gefrühstückt?

KÜRMANN Es ist zehn Uhr.

Kürmann tut, als arbeite er, Pause.

ANTOINETTE Auch Henrik läßt grüßen.

KÜRMANN Wer?

ANTOINETTE Henrik.
KÜRMANN Das wundert mich.
ANTOINETTE Wieso wundert dich das?
KÜRMANN Weil Henrik zurzeit in London ist.
Sie dreht sich um und blickt ihn an.
ANTOINETTE Hannes: – Was ist los?
KÜRMANN Das frage ich dich.
ANTOINETTE Ich komme nachhause –
KÜRMANN – um zehn Uhr morgens.
ANTOINETTE – ich bestelle dir Grüße von Henrik –
KÜRMANN – der zurzeit in London ist.
ANTOINETTE – und somit lüge ich? *Sie nimmt sich eine Zigarette gelassen:* Henrik ist nicht in London.
Kürmann springt auf.
REGISTRATOR Das hat sich geändert. Diesmal ist Henrik nicht nach London geflogen, diesmal ist es keine Lüge, diesmal sind Sie im Unrecht.
KÜRMANN Entschuldige.
Kürmann geht und gibt Feuer.
ANTOINETTE Sind deine Korrekturen gekommen?
Sie sitzt und raucht, Kürmann steht.
KÜRMANN Wer läßt mich sonst noch grüßen?
REGISTRATOR Sie meint die Korrekturen für ein Taschenbuch, das Sie jetzt für den Rowohlt-Verlag schreiben: Verhaltensforschung allgemeinverständlich. Wie gesagt, Sie haben jetzt kein festes Einkommen mehr, kein Institut, um Forschung zu betreiben. Sie haben froh zu sein für jede Art von Arbeit. Das ist neu.
KÜRMANN Die Korrekturen sind gekommen.
Stundenschlag: zehn Uhr.
KÜRMANN Wo hast du deine Armbanduhr?
Sie schaut auf ihren leeren Arm.

ÜRMANN – in einem Badezimmer?

Es kommt Frau Hubalek.

RAU HUBALEK Frau Doktor?

NTOINETTE Was ist?

RAU HUBALEK Soll ich frischen Tee machen?

Frau Hubalek nimmt die Kanne und geht weg.

NTOINETTE Ich möchte wissen, was du dir eigentlich vorstellst. Jetzt ist man zwei Jahre verheiratet, ich übersetze von Morgen bis Abend, und wenn ich nicht unter Leute gehe, werde ich nie zu einer Galerie kommen. Das sagst du selbst. Aber jedesmal wenn ich von einer Gesellschaft komme, schaust du, ob ich meine Armbanduhr habe. Was denkst du dir eigentlich dabei?

ÜRMANN Sag du's.

NTOINETTE Was?

ÜRMANN Wo du gewesen bist.

Sie zerdrückt ihre Zigarette.

NTOINETTE Wenn du's wissen willst: –

Neon-Licht.

EGISTRATOR Wollen Sie's wissen? Sie haben dann die Gewißheit sehr schlecht ertragen: *Er sieht im Dossier nach:* Sie haben gebrüllt. Zuerst haben Sie eine Tasse zerschmettert, dann gebrüllt. Übrigens nur kurz, dann wurden Sie feierlich. Als Antoinette, ihrerseits die Gelassenheit in Person, Sie aufmerksam machte, daß Sie sich benehmen wie ein Spießbürger, fiel die Ohrfeige, die Sie selbst verblüffte: eine links, und da Antoinette es nicht glauben wollte, zwei rechts. Ferner haben Sie, um Antoinette nicht anzublicken, mit der Faust auf das Spinett geschlagen, dabei fielen unter anderem die folgenden Wörter, laut Dossier: –

Kürmann winkt ab.

REGISTRATOR Wollen Sie wirklich die Gewißheit?

KÜRMANN Ja.

REGISTRATOR Wie Sie wollen.

Neon-Licht aus.

ANTOINETTE Wenn du willst, Hannes, dann geh ich. Un zwar sofort. Ich lebe nicht im neunzehnten Jahrhundert Das lasse ich mir nicht gefallen.

KÜRMANN Das mit der Uhr war doch ein Spaß.

ANTOINETTE Wenn man bleich ist, spaßt man nicht.

KÜRMANN Dann entschuldige.

ANTOINETTE Ich lasse mich von einem Mann nicht an brüllen.

KÜRMANN Ich habe nicht gebrüllt.

ANTOINETTE Weil du weißt, daß ich sonst gehe.

Kürmann nimmt eine leere Teetasse.

KÜRMANN Habe ich irgendwie gebrüllt?

REGISTRATOR Nein.

KÜRMANN Registrieren Sie das!

Neon-Licht, der Registrator registriert, Neon-Licht aus

ANTOINETTE Du schweigst, weil du weißt, wie kitschig e ist, was du jetzt denkst. Trotzdem denkst du es. *Sie wir heftig:* Ich finde es gemein.

KÜRMANN Was?

ANTOINETTE Wie du mich behandelst.

KÜRMANN Nämlich?

ANTOINETTE So brüll mich schon an! So daß auch Fra Hubalek es hört. So zeig schon, wer du bist! So ohrfeig mich schon!

KÜRMANN Warum?

ANTOINETTE Wie ein Spießbürger!

Frau Hubalek kommt und bringt Tee.

KÜRMANN Danke, Frau Hubalek, danke.

Frau Hubalek geht weg.

ANTOINETTE Jetzt ist man zwei Jahre verheiratet, und es ist das erste Mal, daß ich eine Nacht nicht nachhaus komme, das erste Mal, und jedesmal machst du eine Szene –

KÜRMANN Antoinette.

ANTOINETTE Jedesmal!

Kürmann rührt in der leeren Tasse.

KÜRMANN Du machst eine Szene, Antoinette, nicht ich. Was tu ich denn? Ich stehe und trinke Tee.

ANTOINETTE Tee?

KÜRMANN Tee.

ANTOINETTE – aus einer leeren Tasse.

Pause.

KÜRMANN Wieso weint sie jetzt?

Neon-Licht.

REGISTRATOR Stimmt: in der ersten Fassung hat sie nicht geweint. Weil Sie gebrüllt haben, Herr Kürmann, in der ersten Fassung. Jetzt weint sie: es können nie beide Teile eines Paares zugleich überlegen sein. Diesmal sind Sie's.

Neon-Licht aus.

ANTOINETTE Daß ich mir das gefallen lassen muß. Ich finde es gemein. *Sie schreit:* – hundsgemein – hundsgemein!

KÜRMANN Was eigentlich?

ANTOINETTE Wie du dich beherrschen mußt.

Kürmann rührt in der leeren Tasse.

KÜRMANN Jetzt tust du wirklich, Antoinette, als habe ich dir eine Ohrfeige gegeben. *Zum Registrator:* Habe ich eine Ohrfeige gegeben?

REGISTRATOR Nein.

KÜRMANN Registrieren Sie das!

Neon-Licht, der Registrator registriert, Neon-Licht aus.

KÜRMANN Ich habe mir Sorgen gemacht. Ich habe gearbeitet. Korrekturen. Ich habe angerufen. Um zwei Uhr nachts. Schneiders waren schon im Bett. Ihr, so hieß es, seid schon gegangen –

Sie nimmt etwas aus der Handtasche:

ANTOINETTE Hier ist meine Uhr.

Kürmann geht und gießt Tee in seine Tasse.

ANTOINETTE Ich kann dir nur sagen, du irrst dich.

KÜRMANN Dann ist es ja gut.

ANTOINETTE Ich finde es gar nicht gut, Hannes, ich finde es unmöglich: ein Mann wie du, ein Intellektueller, ein Mann in deinem Alter – ich meine: ein Mann von deiner Erfahrung – ob ich mit jemand geschlafen habe oder nicht, hast du nichts andres zu denken in dieser Welt? Ist das dein Problem? *Sie erhebt sich.* – und gesetzt den Fall, ich hätte mit einem Mann geschlafen heute nacht oder jedesmal, wenn du es dir vorstellst: Was dann? Ich bitte dich: Was dann? Ich frage dich: Wäre das denn der Wärmetod der Welt?

KÜRMANN Jetzt redest du Quatsch.

ANTOINETTE – ich habe mit jemand geschlafen.

Pause.

KÜRMANN Nimmst du noch Tee?

Sie nimmt ihre Handtasche.

ANTOINETTE Ich muß mich jetzt umziehen.

KÜRMANN Tu das.

ANTOINETTE Zum Mittagessen bin ich verabredet.

Antoinette geht weg.

REGISTRATOR Jetzt wissen Sie's. *Neon-Licht.* Sie haben nicht gebrüllt, Herr Kürmann, überhaupt nicht. Auch ist es zu keiner Ohrfeige gekommen, obschon Antoinette darauf gewartet hat. Und das Spinett ist ebenfalls unbeschädigt. Sie haben sich verhalten wie ein erfahrener Mann: einwandfrei.

KÜRMANN Und was ändert das?

REGISTRATOR Vorbildlich.

KÜRMANN Der Tatbestand bleibt derselbe.

REGISTRATOR Aber sie fühlen sich überlegen.

Kürmann schmettert die Tasse an die Bücherwand.

REGISTRATOR Sie wissen, was folgt: –

KÜRMANN Sie traf ihn zum Mittagessen. Sie wollte nicht sagen, wie er heißt. Das gehe mich nichts an. Einen Monat später reisten sie zusammen nach Sizilien.

REGISTRATOR Sardinien.

Das Telefon klingelt.

REGISTRATOR Wollen Sie nicht abnehmen?

KÜRMANN Nein. *Er läßt klingeln.* Fehlanruf.

REGISTRATOR Woher wissen Sie das?

KÜRMANN Sobald er meine Stimme hört: Fehlanruf. Ich kenne das. Dieses Spiel werden wir nicht wiederholen.

Antoinette kommt im Straßenmantel.

ANTOINETTE Hannes, ich geh jetzt.

KÜRMANN Wohin?

ANTOINETTE In die Stadt.

KÜRMANN In die Stadt.

ANTOINETTE Ich habe dir gesagt, daß ich zum Mittagessen verabredet bin. Nachmittags bin ich in der Bibliothek. Abends bin ich da.

Pause, sie zieht Handschuhe an.

REGISTRATOR Hier, in dieser Stellung, haben Sie sich ausführlich entschuldigt: wegen Ohrfeige und Spinett und überhaupt. Aber das erübrigt sich jetzt . . .

Pause, bis sie die Handschuhe angezogen hat.

KÜRMANN Darf ich fragen, wie er heißt?

ANTOINETTE Ich möchte, daß du mich jetzt in Ruhe läßt. Das ist alles, was ich dir sagen kann. Es ist meine Sache. *Sie nimmt ihre Handtasche:* Wenn sich zwischen uns etwas ändert, Hannes, dann sag ich's dir.

Antoinette geht weg.

REGISTRATOR Haben Sie's anders erwartet?

KÜRMANN Weiter!

REGISTRATOR Sie sagt es nicht: auch ohne Ohrfeige. Insofern hat sich durch Ihr einwandfreies Verhalten nichts verändert, aber Sie fühlen sich wohler als in der ersten Fassung: Sie brauchen sich diesmal nicht zu schämen.

KÜRMANN Weiter!

REGISTRATOR Fühlen Sie sich nicht wohler?

Frau Hubalek kommt und bringt Post.

KÜRMANN Danke, Frau Hubalek, danke.

Frau Hubalek räumt das Geschirr zusammen.

REGISTRATOR Das ist eine Woche später: da wäre wieder dieser Brief an Antoinette, den Sie geöffnet haben, um zu wissen, woran Sie sind. Sie erinnern sich? Daraufhin nahm sie ein Postfach.

Kürmann mustert den Brief.

KÜRMANN Frau Hubalek!

REGISTRATOR So begann die Unwürde –

KÜRMANN Ein Eilbrief für meine Frau.

Kürmann gibt ihr den Brief, Frau Hubalek geht weg.

REGISTRATOR Sehen Sie: Sie können auch anders.

KÜRMANN Weiter?

REGISTRATOR Sie verhalten sich einwandfrei.

KÜRMANN Was ist in einem Monat?

REGISTRATOR Antoinette wird Ihnen dankbar sein. Antoinette wird Sie achten. Vielleicht nimmt sie trotzdem ein Postfach: aber nicht aus Mißtrauen, sondern aus Takt –

KÜRMANN Ich frage: Was ist in einem Monat?

REGISTRATOR Sommer 1963. *Er sieht im Dossier nach:* »Konrad Adenauer erwägt seinen Rücktritt –«

KÜRMANN Hier, meine ich, was geschieht hier?

REGISTRATOR Sie wohnen noch immer zusammen: –

Antoinette kommt im Straßenmantel und mit einem kleinen Koffer, den sie abstellt, um die Handschuhe anzuziehen. Neon-Licht aus.

ANTOINETTE Hannes, ich geh jetzt.

KÜRMANN Hast du alles?

ANTOINETTE Ich bin in einer Woche wieder da.

KÜRMANN Hast du deinen Paß?

ANTOINETTE Spätestens in einer Woche.

Sie schaut in der Handtasche nach ihrem Paß.

KÜRMANN Fahrt vorsichtig. Ich habe den Wetterbericht gelesen: der Gotthard ist offen, aber Italien meldet Überschwemmungen, vor allem die Via Aurelia –

ANTOINETTE Wir fliegen.

KÜRMANN – ist das geändert?

REGISTRATOR Offenbar.

ANTOINETTE Wir haben es uns anders überlegt: wir fliegen.

KÜRMANN Dann bin ich beruhigt.

ANTOINETTE Egon hat nur eine Woche Zeit.

Pause.

KÜRMANN Wie ist es mit deiner Post?

ANTOINETTE Frau Hubalek hat das Haushaltsgeld.

KÜRMANN Wann fliegt eure Maschine?

ANTOINETTE Um ein Uhr.

Kürmann blickt auf seine Uhr.

ANTOINETTE Die Post brauchst du nicht nachzuschicken.

Wichtiges wird nicht kommen, und ich bin in einer Woch
wieder da, Hannes, spätestens Montag oder Dienstag . .
Pause.

ANTOINETTE Was machst du?

KÜRMANN – Korrekturen . . .

Antoinette nimmt ihren kleinen Koffer.

KÜRMANN Du hast Zeit, Antoinette, viel Zeit. Zum Flug
hafen brauchst du vierzig Minuten. Höchstens. Jetzt is
es zehn Uhr. Noch nicht einmal. *Zum Registrato*
Warum ist sie so nervös?

REGISTRATOR Sie verhalten sich so einwandfrei, und dami
hat Antoinette nicht gerechnet. In der ersten Fassung kar
es hier zu einem stundenlangen Wortwechsel: Sie mußte
gestehen, daß Sie einen Brief geöffnet hatten. Antoinett
war außer sich. Sie mußten es sieben Mal gestehen un
beschwichtigen und um Verzeihung bitten, bevor sie end
lich ihren Koffer nehmen und gehen konnte –

KÜRMANN Sie ist ja viel zu früh am Flughafen.

REGISTRATOR Weil es nichts zu verzeihen gibt.

Stundenschlag: zehn Uhr.

ANTOINETTE Hannes, ich muß gehen.

Antoinette gibt ihm einen Kuß.

KÜRMANN Fahrt vorsichtig – ich meine: Fliegt vorsichtig . .

Antoinette geht weg.

KÜRMANN Egon heißt er.

REGISTRATOR Seine Personalien sind unverändert. *Neon*
Licht. »Stahel Egon, Jahrgang 1929, Architekt, verhei
ratet, katholisch.«

KÜRMANN Stahel.

REGISTRATOR Sie haben den Namen schon vor drei Jahre
gehört, aber nicht beachtet. Sie hören ihn jetzt, wo Si
hinkommen. Vor allem Leute, die noch nichts wissen

erwähnen ihn unentwegt: Egon oder Stahel. Der junge Mann scheint sehr geschätzt zu sein. Als Architekt. Aber auch menschlich und musikalisch –

Kürmann geht zur Hausbar.

REGISTRATOR Es ist kein Whisky mehr im Haus, das sagte ich Ihnen schon: das haben Sie geändert.

Kürmann steht ratlos.

REGISTRATOR Warum arbeiten Sie nicht? Sie hat recht: Haben Sie nichts anderes im Kopf als die Ehe?

KÜRMANN Schweigen Sie.

REGISTRATOR Ist das Ihr Problem in dieser Welt?

Kürmann steht und schweigt.

REGISTRATOR Möchten Sie nochmals zurück?

KÜRMANN Wozu?

REGISTRATOR Wie Ihnen beliebt.

KÜRMANN Was ist in einem halben Jahr?

Frau Hubalek kommt und bringt Post.

KÜRMANN Danke, Frau Hubalek, danke.

Frau Hubalek geht weg.

REGISTRATOR Ihr Taschenbuch ist erschienen.

KÜRMANN Endlich.

REGISTRATOR Wie gefällt es Ihnen?

Kürmann blättert, dann hält er inne:

KÜRMANN Was ist sonst geschehen?

Antoinette kommt im Straßenmantel.

ANTOINETTE Hannes, ich geh jetzt.

REGISTRATOR Offenbar sind Sie noch immer verheiratet.

ANTOINETTE Hannes, ich geh jetzt.

KÜRMANN In die Stadt.

ANTOINETTE In die Stadt.

KÜRMANN Nachmittags bist du in der Bibliothek.

ANTOINETTE Nachmittags bin ich in der Bibliothek.

KÜRMANN Abends bist du da.

ANTOINETTE Das weiß ich noch nicht.

Antoinette geht weg.

KÜRMANN – sie weiß es noch nicht!

Kürmann wirft das Taschenbuch in die Ecke.

REGISTRATOR Gefällt Ihnen die Ausstattung nicht?

Kürmann läßt sich in den Fauteuil fallen.

REGISTRATOR Das war 1964. *Er liest aus dem Dossier:* »Chruschtschow ist abgesetzt. / Der Mord an Präsident Kennedy in Dallas, Texas, bleibt ungeklärt. / Die Bundeswehr erreicht das von der NATO gestellte Ziel von 12 Divisionen –«

KÜRMANN Was ist in einem Jahr?

REGISTRATOR 1965. *Er liest aus dem Dossier:* »Start des sovjetischen Raumschiffs WOSCH-CHOD II, Leonew verläßt durch eine Luftschleuse das Raumschiff und schwebt als erster Mensch 10 Minuten lang im Weltraum, handgesteuerte Landung nach 17 Erdumkreisungen.«

KÜRMANN Frau Hubalek!

REGISTRATOR Warum schreien Sie?

KÜRMANN Warum steht das Frühstück noch immer da? Frau Hubalek! Warum räumt sie das Geschirr nicht weg? Frau Hubalek!

Es kommt eine junge Italienerin.

PINA Professore desidera?

REGISTRATOR Frau Hubalek ist gestorben.

KÜRMANN La tavola. Prego. Per favore.

REGISTRATOR Sie heißt Pina und kommt aus Calabrien.

KÜRMANN Come sta, Pina?

PINA Melio, Signore, molto melio. Grazie.

KÜRMANN Brutto tempo in questo paese.

PINA Eh.

KÜRMANN Eh.

Pina nimmt das Geschirr und geht weg.

REGISTRATOR Ihr Italienisch macht Fortschritte.

KÜRMANN Und was sonst?

REGISTRATOR Sie werden älter. *Er sieht im Dossier nach:* – Sie sind jetzt 48, Herr Kürmann, in zwei Jahren werden Sie 50. *Er sieht Kürmann an:* Was überlegen Sie?

Kürmann sitzt und schweigt.

REGISTRATOR Die Träume, daß alle Zähne ausfallen und daß man sie im Mund spürt wie lose Kieselsteine, diese Träume sind nichts Neues, aber sie häufen sich in letzter Zeit –

KÜRMANN Und was sonst?

REGISTRATOR Noch sind Sie kein Gaga.

KÜRMANN Danke.

REGISTRATOR Ehrenwort! auch wenn Thomas, Ihr Sohn, vielleicht schon andrer Meinung ist.

Es erscheint Thomas in Beat-Frisur.

REGISTRATOR Man trägt jetzt diese Frisur.

KÜRMANN Ich brauche seine Meinung nicht.

THOMAS Das ist es eben. Drum kann man nicht sprechen mit ihm. Ich kann's nicht mehr hören: Als ich in deinem Alter war! Vielleicht war es so, wie er sagt, aber es ist eben nicht mehr so. Immer kommt er mit seiner Biografie. *Er hockt sich auf den Schreibtisch.* Ich lebe nun einmal so.

KÜRMANN Das sehe ich.

THOMAS Und? *Er schlenkert seine Jacke.* Er ist einfach nicht mehr im Bild. Was heißt schon Erfahrung. Kein Mensch, der heutzutage im Bild ist, glaubt heutzutage noch an Marxismus-Leninismus. Zum Beispiel. Daran glauben grad noch die Chinesen –

REGISTRATOR Thomas ist jetzt 23.

THOMAS Was hast du mir sagen wollen?

KÜRMANN Nichts.

THOMAS Okay.

KÜRMANN Du bist jung, Thomas, aber das ist vorderhand auch alles, was du bist. Du mit deinem Haar. Was weißt denn du von dir? Daß du machst, was du willst. Hast du schon einmal einen Irrtum eingesehen und damit weitergelebt?

REGISTRATOR Herr Kürmann, das wollten Sie nicht sagen.

KÜRMANN Habt Ihr schon einmal einen Irrtum eingesehen und damit weitergelebt? Es ist doch wahr. Was habt Ihr denn schon geleistet, Ihr Pilzköpfe, ich frage dich: was denn? *Er schreit:* Was denn?

THOMAS Pa, jetzt wirst du ein alter Mann.

Kürmann schweigt.

REGISTRATOR Warum haben Sie das wieder gesagt?

Thomas ist weg.

KÜRMANN Was ist sonst geschehen?

Antoinette kommt im Straßenmantel.

ANTOINETTE Hannes, ich geh jetzt.

REGISTRATOR Augenblick. *Er blättert.* Natürlich ist allerlei geschehen, Sie stehen ja nicht jahrein und jahraus in diesem Morgenmantel, zum Beispiel sind Sie inzwischen in Rußland gewesen.

KÜRMANN Wie war's?

REGISTRATOR Darüber haben Sie geschwiegen. Bisher. Sie sind sich bewußt, Herr Kürmann, gewisse Leute glauben aus Ihrem Schweigen schließen zu dürfen, daß Sie von Rußland enttäuscht sind.

ANTOINETTE Das ist er auch.

KÜRMANN Woher weißt du das?

ANTOINETTE Egon war auch schon in Rußland.

KÜRMANN Egon!
ANTOINETTE Er hat berichtet.
KÜRMANN Egon ist ein Reaktionär.
ANTOINETTE – während du schweigst: weil du progressiv bist. *Sie hat keine Zeit um weiterzusprechen:* Also ich geh jetzt.
KÜRMANN Warum lassen wir uns nicht scheiden?
ANTOINETTE Abends bin ich da.
KÜRMANN Ich habe dich etwas gefragt.
ANTOINETTE Entschuldige.
KÜRMANN Warum lassen wir uns nicht scheiden?

Pause.

REGISTRATOR Sie erwartet eine Begründung. In der ersten Fassung haben Sie an diesem Vormittag die folgende Begründung gegeben: *Er liest aus dem Dossier:* »Es ist schade um unsere Zeit, Antoinette, ich liebe dich, aber es ist schade um die Zeit.«
KÜRMANN Schade um die Zeit.
REGISTRATOR »Wir leben nur einmal.«
KÜRMANN Das habe ich gesagt?
REGISTRATOR Trivial, aber empfunden. *Er liest aus dem Dossier:* »Einmal vor Jahren, du erinnerst dich, hast du gesagt: wenn sich zwischen uns etwas ändert, dann wirst du es mir schon sagen.«
ANTOINETTE Ja.
REGISTRATOR »Es wird sich aber nichts ändern, Egon ist katholisch.«
ANTOINETTE Was willst du damit sagen?
REGISTRATOR »Er kann sich nicht scheiden lassen.«
ANTOINETTE Nein.
REGISTRATOR »Das heiligt auch unsere Ehe.«
KÜRMANN So ist es.

REGISTRATOR »In diesem Ton, ich weiß, läßt du nicht mi dir reden, trotzdem bin ich dafür, daß wir uns scheider lassen.«

KÜRMANN Unverzüglich.

REGISTRATOR »Wir können.«

Antoinette setzt sich.

REGISTRATOR Möchten Sie dieses Gespräch ändern?

KÜRMANN Ich habe gehofft, daß es nicht dazu kommt. Ic habe mich benommen wie ein erfahrener Mann. Ich hab keine Briefe geöffnet und so weiter, ich habe gehofft –

REGISTRATOR – daß Egon verschwindet.

KÜRMANN Ja.

REGISTRATOR Das ist nicht der Fall.

KÜRMANN Nein.

REGISTRATOR Also wollen Sie wieder die Scheidung?

KÜRMANN Unverzüglich.

Pause, Antoinette nimmt sich eine Zigarette.

ANTOINETTE Hast du mit einem Anwalt gesprochen?

KÜRMANN Nein.

ANTOINETTE Ich habe mit einem Anwalt gesprochen. E wäre einfacher, meint er, wenn wir den gleichen Anwal nehmen. Wenn's zu einer sogenannten Kampfscheidun kommt, meint er, dauert das mindestens ein Jahr ...

Sie zündet die Zigarette an und raucht.

KÜRMANN Was ist in einem Jahr?

REGISTRATOR 1966.

KÜRMANN Was ist dann?

Man hört einen Säugling schreien.

KÜRMANN – ein Kind?

REGISTRATOR Ja.

KÜRMANN Von ihm?

REGISTRATOR Nein.

KÜRMANN Von mir?

REGISTRATOR Nein.

KÜRMANN Von wem?

REGISTRATOR Die junge Calabresin hat ein Kind.

Der Säugling verstummt.

REGISTRATOR Was sonst geschehen ist: *Er sieht im Dossier nach:* – der Kürmann'sche Reflex, seinerzeit ein Begriff, der Schule machte, hat sich durch die neuere Forschung als unhaltbar erwiesen.

Man hört wieder den Säugling.

ANTOINETTE Hannes, ich geh jetzt. *Sie zerdrückt die Zigarette:* Entweder gehen wir zu einem Anwalt und lassen uns endlich scheiden, Hannes, oder wir sprechen nicht mehr davon. Es gibt nichts, was wir einander nicht schon gesagt haben. *Sie erhebt sich.* Nachmittags bin ich in der Bibliothek.

KÜRMANN Nachmittags bist du in der Bibliothek.

ANTOINETTE Abends bin ich da.

KÜRMANN Abends bist du da.

ANTOINETTE Andernfalls rufe ich an.

Antoinette geht weg.

REGISTRATOR Hier, Herr Kürmann, haben Sie gesagt: wenn Sie noch einmal anfangen könnten, so wüßten Sie genau, was Sie anders machen würden.

Kürmann steht reglos.

REGISTRATOR Möchten Sie noch einmal anfangen?

Kürmann steht reglos.

REGISTRATOR – Sie lieben sie.

Kürmann nimmt einen Revolver hinter Büchern hervor, dabei stellt er sich so, daß der Registrator es nicht sehen soll; er entsichert den Revolver so leise wie möglich.

REGISTRATOR So weit waren Sie schon einmal: Sie wollten

sich erschießen, weil Sie meinten, daß Sie ohne sie nicht leben können – dann fanden Sie sich selber kitschig. *Er sieht im Dossier nach:* »September 1966.«

Man hört wieder das Harmonium nebenan, dieselben Takte, die abbrechen, Wiederholung, während der Registrator sich eine Zigarette anzündet; dann Stille.

REGISTRATOR Auch wir, offen gestanden, haben natürlich etwas anderes erwartet von einem Mann, der die Möglichkeit hat, noch einmal anzufangen: etwas Kühneres –

KÜRMANN Ja.

REGISTRATOR – nichts Großartiges vielleicht, aber etwas anderes, was Sie nicht schon einmal gelebt haben. Zumindest etwas anderes. *Er raucht.* Warum, zum Beispiel, sind Sie nicht ausgewandert?

Lichtbild: Kürmann im Tropenhelm.

REGISTRATOR Kürmann auf den Philippinen, Verhaltensforschung an Vögeln, die es in unseren Breitengraden nicht gibt. Ein Forscherleben: hart, aber sinnvoll ...

KÜRMANN Ja.

REGISTRATOR Fragen Sie diesen Kürmann, was er von Hornacher denkt, er wird sich nicht sofort erinnern, dann lachen. Oder fragen Sie ihn nach einem gewissen Egon.

Lichtbild: Kürmann mit Damen.

REGISTRATOR Oder Kürmann als Lebemann.

KÜRMANN Lassen Sie das.

REGISTRATOR Ich weiß nicht, ob Sie sich so etwas gedacht haben, als Sie sagten: Wenn Sie noch einmal anfangen könnten und so weiter.

KÜRMANN Wofür halten Sie mich.

REGISTRATOR Wenigstens wäre es anders gewesen ...

Lichtbild: Kürmann im Talar.

REGISTRATOR Wenn Sie schon nicht ausgewandert sind, ubi bene ibi patria, Sie hätten bloß Geduld haben müssen und etwas Taktik, etwas Schlauheit, die verschweigt, was Anstoß erregt: Kürmann als Magnifizenz. Jetzt würden Sie bestimmen, wo Hornacher bestimmt. Das würde die Welt nicht verändern, aber ein wenig die Universität, eine von vielen.

Lichtbild: Kürmann in einem Handgemenge.

REGISTRATOR Warum sind Sie nicht auf die Straße gegangen?

Lichtbild: Kürmann mit Katrin und Kindern.

REGISTRATOR Da Sie noch einmal haben wählen können: warum haben Sie nicht versucht – zum Beispiel – den Selbstmord von Katrin zu verhindern? Vielleicht hätte es genügt, daß sie einen Garten voller Kinder hat, Kinder, die Federball spielen.

KÜRMANN Schweigen Sie.

REGISTRATOR Kürmann als Papi am Sonntag.

Man hört wieder das Harmonium nebenan, dieselben Takte, Wiederholung, während die Lichtbilder verschwinden; Stille.

REGISTRATOR – stattdessen: Dieselbe Wohnung. Dieselbe Geschichte mit Antoinette. Nur ohne Ohrfeige. Das haben Sie geändert. Ferner sind Sie in die Partei eingetreten, ohne deswegen ein andrer zu werden. Was sonst? Und Sie halten einigermaßen Diät. Das ist alles, was Sie geändert haben, und dazu diese ganze Veranstaltung!

KÜRMANN – ich liebe sie.

Antoinette kommt im Straßenmantel.

ANTOINETTE Hannes, ich geh jetzt.

Kürmann blickt auf den Revolver in seiner Hand.

ANTOINETTE Hannes, ich geh jetzt.

KÜRMANN Ich höre.

ANTOINETTE Vergiß nicht, daß wir Gäste haben heute abend. Schneiders kommen auch. Und Henrik. Und einige andere –

KÜRMANN Nachmittags bist du in der Bibliothek.

ANTOINETTE Hörst du nicht, was ich sage?

KÜRMANN Und einige andere.

ANTOINETTE Nachmittags bin ich in der Bibliothek.

Kürmann dreht sich um, und da er grad den Revolver zur Hand hat und da ihm der Wortwechsel verleidet ist, zielt er auf Antoinette: ein erster Schuß, ohne daß Antoinette weicht oder zusammenbricht.

ANTOINETTE Hannes –

Zweiter Schuß.

KÜRMANN Sie meint, ich träume das.

Dritter Schuß.

ANTOINETTE Hannes, ich geh jetzt.

KÜRMANN In die Stadt.

ANTOINETTE In die Stadt.

Vierter Schuß.

ANTOINETTE Abends bin ich da.

Fünfter Schuß; Antoinette bricht zusammen.

REGISTRATOR Ja, Herr Kürmann, jetzt haben Sie geschossen.

KÜRMANN Ich –?

Arbeitslicht: man sieht die ganze Bühne, zwei Bühnenarbeiter stellen eine Pritsche hin und gehen weg.

Spiellicht: Kürmann erscheint im Sträflingskleid.

REGISTRATOR Sie dürfen sich setzen.

Kürmann setzt sich. Der Registrator nimmt Akten und setzt sich neben Kürmann.

DER REGISTRATOR Sie haben am Vormittag des 29.10.1966, ohne daß ein nennenswerter Wortwechsel vorangegangen ist, fünf Schüsse abgegeben auf Ihre Ehefrau Antoinette Kürmann, geborene Stein, Dr. phil. Der fünfte Schuß, ein Kopfschuß, war tödlich ... In der Untersuchungshaft haben Sie gesagt, daß Sie mit der sechsten Patrone, die noch im Magazin war, Selbstmord verüben wollten; stattdessen haben Sie dann die Polizei benachrichtigt und ein umfassendes Geständnis abgelegt ... Und so weiter. *Er blättert.* Auf die Frage, ob Sie Reue empfinden, haben Sie gesagt: Sie seien verwundert, Sie hätten sich das nicht zugetraut –

Kürmann schweigt.

REGISTRATOR Expertise des Psychiaters: Unzurechnungsfähigkeit kann nicht angenommen werden ... Und so weiter. *Er blättert.* Vermögensverhältnisse. *Er blättert.* Vorleben des Angeklagten. *Er blättert.* Vorleben der Ermordeten. *Er blättert.* Einmal erklärten Sie auf die Frage, warum Sie auf Ihre völlig nichtsahnende Frau geschossen haben, ich zitiere: »Ich wußte plötzlich, wie es weitergeht« ... Ein andermal, ich zitiere: »Meine Frau sagte, daß sie nachmittags in der Bibliothek sein werde, oder sie war im Begriff, das zu sagen, und da ich diesen Satz schon kannte und da er mir verleidet war, schoß ich sozusagen auf diesen Satz, um ihn nicht wieder zu hören.« ...

Kürmann schweigt.

REGISTRATOR Das Urteil lautet auf Zuchthaus lebenslänglich. Sie selbst haben auf ein Schlußwort, das Ihnen vor dem Urteilsspruch zustand, verzichtet ... Sie verlangen keine Revision des Prozesses?

KÜRMANN Nein.

REGISTRATOR Darf ich Ihnen jetzt eine Frage stellen?

Pause.

REGISTRATOR Gedenken Sie angesichts dieser Biografie – oder besser gesagt: glauben Sie – fühlen Sie, nachdem Sie jetzt in dieser Zelle wohnen, eine – wie soll ich sagen – Neigung, ja, eine Neigung, ein Bedürfnis, eine Bereitschaft, die Sie bisher nicht kannten und die erst aus dem Bewußtsein der Schuld entstanden ist, eine – Bereitschaft ...

KÜRMANN Zu was?

REGISTRATOR Sie werden vorerst in dieser Zelle bleiben, später auf dem Feld arbeiten oder in der Tischlerei, später vielleicht in der Verwaltung, Schreibarbeit und derartiges ... Sie sind jetzt 49, Herr Kürmann: – eine Strafverkürzung, bekanntlich bei einwandfreiem Verhalten nicht ausgeschlossen, dürfte vor 12 Jahren nicht zu erwarten sein. Dann wären Sie also 61, vorausgesetzt, daß Sie so lang leben ... Sie verstehen meine Frage?

KÜRMANN Sie meinen: um diese Aussichten zu ertragen, habe ich mich umzusehen nach einem Sinn für das, was geschehen ist.

REGISTRATOR Ich frage.

KÜRMANN Und dieser Sinn würde darin bestehen, daß ich glaube: So und nicht anders hat es kommen müssen. Was man niemals beweisen kann, aber glauben. So und nicht anders. Schicksal. Vorsehung.

REGISTRATOR Sagen wir so.

KÜRMANN Ich weiß, wie es geschehen ist.

REGISTRATOR – zufällig?

KÜRMANN Es mußte nicht sein.

Pause.

REGISTRATOR Herr Kürmann, Sie haben die Wahl.

KÜRMANN Glauben oder nicht glauben.

REGISTRATOR Ja.

Kürmann erhebt sich, geht durch die Zelle, steht.

KÜRMANN Und sie? – sie? ... ob ich glaube oder nicht, ich, was ändert das für sie? Ihr Leben – nicht mein Leben ... Was hat die Tote davon, daß ich, ihr Mörder, meine Zelle tapeziere mit Schicksal? ich habe ein Leben vernichtet – ihr Leben – was heißt da noch Wahl? – sie ist tot – tot, und ich wähle: glauben oder nicht glauben. *Er lacht:* Reue! was Ihr unter Reue versteht –

REGISTRATOR Was wollen Sie sagen?

KÜRMANN Antoinette könnte leben – das mußte nicht sein – leben: essen: lachen: träumen von ihrer Galerie, die nie zustande kommt: ein Kind haben von irgendwem: lügen: schlafen: ein neues Kleid tragen: – leben ...

Der Registrator erhebt sich.

REGISTRATOR Dann gehen wir nochmals zurück. *Er geht an sein Pult, wo er die letzten Seiten aus dem Dossier löst und in den Papierkorb wirft.* Bitte.

Neon-Licht aus.

Die graue Wand verschwindet nach oben, Spiellicht im Zimmer: eine kleine Gesellschaft im aufgelösten Zustand gegen Morgen, Herren und Damen hocken auf dem Boden, Antoinette sitzt am Spinett und spielt, aber die

Leute hören nicht zu, ausgenommen ein blonder Herr, der an der Bücherwand steht; die andern trinken oder flirten oder lachen, Antoinette bricht ihr Spiel ab.

ANTOINETTE Ich habe jahrelang nicht gespielt.

Lachen.

HENRIK Antoinette ist ein Genie. Wo ist Kürmann? Man muß es ihm sagen, daß Antoinette ein Genie ist. Kürmann!

JEMAND Brüll nicht.

HENRIK Man muß es ihm sagen.

Pause.

DAME 1 Kinder, wir sollten gehen.

JEMAND Was ist mit den Gartenzwergen?

DAME 1 Herr Kürmann hat morgen zu arbeiten.

ANTOINETTE Soll ich eine Mehlsuppe machen?

Es rührt sich niemand.

ANTOINETTE Ich mache eine Mehlsuppe.

Eine Dame quietscht.

HENRIK Was macht Ihr mit meiner Frau?

DAME 2 Du tust mir weh.

SCHNEIDER Wer?

DAME 2 Du.

SCHNEIDER Das bin nicht ich.

Lachen.

HENRIK Muggy!

DAME 2 Brüll nicht immer.

HENRIK Warum bist du kein Genie?

DAME 2 Henrik, du wirst blöd.

HENRIK Antoinette ist ein Genie. Wie kann ein Mann sich einfach verziehen, wenn sich zeigt, daß seine Frau ein Genie ist. Ich bin der zunehmenden Meinung, daß Antoinette ein Genie ist, das jahrelang nicht gespielt hat.

DAME 2 Henrik ist blau.

ANTOINETTE Soll ich eine Mehlsuppe machen?

SCHNEIDER Diese Frage höre ich seit einer Stunde . . .

Stille.

JEMAND Jetzt geht ein Engel durchs Zimmer!

Kürmann, als Sträfling im Vordergrund, hat zugeschaut, jetzt geht er durchs Zimmer und verschwindet, niemand hat ihn bemerkt.

HENRIK Schneider!

SCHNEIDER Du sollst nicht brüllen.

HENRIK Willst du eine Mehlsuppe?

ANTOINETTE Wer will eine Mehlsuppe?

JEMAND Was ist mit den Gartenzwergen?

SCHNEIDER Wer will eine Mehlsuppe?

JEMAND Gartenzwerge.

EINIGE Mehlsuppe!

EINIGE Gartenzwerge!

Gläser klirren.

HENRIK Das kommt davon.

SCHNEIDER Wovon?

HENRIK Man hört mir ja nicht zu.

Die Dame 1 hat sich erhoben.

HENRIK Frau Stahel will gehen.

DAME 1 Es ist Zeit.

HENRIK Frau Stahel hat drei Kinder.

Antoinette geht zum blonden Herrn.

HENRIK Antoinette!

SCHNEIDER Sei still.

HENRIK Hier wird nicht getuschelt.

Der blonde Herr setzt sich ans Spinett.

HENRIK Stahel!

JEMAND Was ist jetzt mit der Mehlsuppe?

HENRIK Ihre Frau will gehen, Ihre Frau hat drei Kinder –
Stahel spielt auf dem Spinett, er spielt besser als Antoinette, nach und nach hören die Leute sogar zu, Kürmann erscheint in seinem Morgenmantel und wird vorerst nicht bemerkt.

HENRIK Kürmann ist auferstanden ... Deine Auferstehung, Kürmann, macht überhaupt keinen Eindruck, aber deine Frau ist großartig, damit du's weißt, Kürmann, so eine Frau hast du gar nicht verdient.
Kürmann tritt zu Antoinette.

KÜRMANN Ich mache eine Mehlsuppe.
Beifall, der das Spinett-Spiel unterbricht.

KÜRMANN – aber das dauert eine Weile.
Kürmann geht weg.

HENRIK So einen Mann hast du gar nicht verdient, Antoinette, damit du's weißt, Ihr beide habt euch gar nicht verdient.

DAME 2 Egon soll weiterspielen.

HENRIK Muggy!

DAME 2 Was denn?

HENRIK So hör doch zu, wenn ich dich als Zeugin brauche: Habe ich schon einmal eine Mehlsuppe gemacht?

DAME 2 Nein.
Stahel spielt weiter, Kürmann erscheint beim Registrator.

REGISTRATOR Ich denke, Sie machen eine Mehlsuppe. Was ist los? Ist Ihnen nicht wohl? Ihre Freunde warten auf die Mehlsuppe.

KÜRMANN Was ist in einem Jahr?

REGISTRATOR Wollen Sie das wissen?

KÜRMANN Was ist in einem Jahr?

Eine weiße Krankenschwester kommt mit einem Rollsessel.

SCHWESTER Sie sollen nicht aufstehen, Herr Kürmann, drei Wochen nach der Operation. Sie müssen Geduld haben, Herr Kürmann, Geduld.

Die Krankenschwester geht weg.

REGISTRATOR Sie bekommen sogleich eine Spritze.

Kürmann steht neben dem Rollsessel.

KÜRMANN Was ist geschehen?

REGISTRATOR 1967. *Er liest aus dem Dossier:* »Militär-Diktatur in Griechenland. –«

Kürmann unterbricht.

KÜRMANN Seit wann bin ich in dieser Klinik?

REGISTRATOR Seit Januar.

KÜRMANN Jetzt ist Juni.

REGISTRATOR Richtig.

KÜRMANN Die Leber ist es nicht.

REGISTRATOR Nein.

KÜRMANN Was ist es denn?

REGISTRATOR Sie haben die Leber geschont.

KÜRMANN Niemand sagt, was es ist.

REGISTRATOR Der Oberarzt sagt: Gastritis.

KÜRMANN Zuerst wurde gesagt, man wisse nicht.

REGISTRATOR Eine besonders langwierige Gastritis.

Die Krankenschwester bringt einen Stuhl und geht wieder.

KÜRMANN Warum spricht es niemand aus?

Es erscheint ein Herr mit schwarzem Monokel links.

REGISTRATOR Möchten Sie Besuche?

KÜRMANN Nein.

REGISTRATOR Das wäre Rotzler. Sie erinnern sich: Schneeballschlacht. Aber er hat sich in dieser Welt zurechtgefunden, Sie sehen, auch ohne linkes Auge. Handels-Attaché. Er möchte aus Südafrika erzählen, ein Mann voller Geschichten. Ferner möchte er Mut machen, jedermann hat einmal Pech. *Es erscheint eine Dame.*

REGISTRATOR Frau Stahel.

KÜRMANN Was wünscht sie?

REGISTRATOR Nichts.

KÜRMANN Warum kommt sie denn?

REGISTRATOR Es ist ihr ein Bedürfnis. Egon ist bereits in Brasilien, sie wird zu Weihnachten übersiedeln mit den Kindern. Es ist ihr einfach ein Bedürfnis.

Es kommt ein Mann mit Bärtchen.

REGISTRATOR Wer sind Sie?

Der Mann blickt sich um.

REGISTRATOR Er möchte nur unter vier Augen reden.

Es kommt ein Fräulein.

REGISTRATOR Das wäre Marlis.

KÜRMANN Wer?

REGISTRATOR Marlis war wichtig für Sie, als Sie zweifelten, ob Sie überhaupt noch ein Mann sind. Menschen sind dankbar dafür, daß Sie wichtig gewesen sind. Auch Marlis möchte Ihnen nur Mut machen. Sie hat es gestern ganz zufällig erfahren, daß Sie seit Monaten in einer Klinik sind.

KÜRMANN Marlis –?

REGISTRATOR Marlis ist dumm. Vielleicht wird sie von Metastase sprechen, nur weil sie Fremdwörter verwechselt.

Der Mann mit dem Bärtchen will gehen.

REGISTRATOR Bleiben Sie!

KÜRMANN – Krolevsky?

REGISTRATOR Er hat Sie erkannt.

Krolevsky setzt sich, die andern Besucher gehen weg.

REGISTRATOR Krolevsky Wladimir, geboren in Riga. Lettland, als Sohn eines Rabbiners, einer SS-Aktion entkommen, da er irrtümlicherweise für tot gehalten worden ist, später Partisan am Ladoga-See, daselbst verwundet, Student der Mathematik in Leningrad, unter Stalin zeitweise Zwangsarbeit, später rehabilitiert, seit 1958 Agent im Westen, 1960 seines Lehramts enthoben und ausgewiesen, Rückkehr nach Moskau, als Revisionist verurteilt, Flucht über Finnland, seit zwei Jahren arbeitet Kollege Krolevsky in Turin, alias Ferrari Carlo, Mitglied der italienischen KP, aber davon möchte er nicht sprechen, bevor Sie genesen sind.

KÜRMANN Was sagt er zum Krieg um Israel?

REGISTRATOR Er ist für Nasser.

KÜRMANN Gegen Israel?

Krolevsky macht eine Geste.

KÜRMANN Was sagt er?

REGISTRATOR Er sagt: Selbstverständlich – allerdings.

KÜRMANN Wieso?

REGISTRATOR Davon möchte Genosse Krolevsky nicht sprechen, bevor Sie genesen sind, Herr Kürmann.

Die Krankenschwester kommt mit Blumen. Sie spricht, als sitze Kürmann im Rollsessel.

SCHWESTER Sehen Sie, Herr Kürmann, sehen Sie: Blumen von Ihrem Sohn aus Amerika. *Sie nimmt das Seidenpapier weg:* Lauter Rosen.

KÜRMANN Schwester Agnes –

SCHWESTER Ein lieber Sohn.

KÜRMANN Kann ich mit dem Oberarzt sprechen?

Die Krankenschwester büschelt die Rosen.

SCHWESTER Sofort, Herr Kürmann, sofort.

REGISTRATOR Warum geben Sie keine Spritze?

SCHWESTER Sofort, Herr Kürmann, sofort.

Es kommt der Arzt im weißen Kittel, begleitet von einem jungen Assistenten; auch der Arzt spricht, als sitze Kürmann im Rollsessel.

ARZT Nun, Herr Kürmann, wie geht's? Wie haben wir heute geschlafen? *Zur Krankenschwester:* Hat Herr Kürmann etwas essen können?

SCHWESTER Tee.

Der Arzt läßt sich den Rapport geben.

ARZT Sehen Sie, Herr Kürmann: langsam fühlen Sie sich wohler. *Er gibt den Rapport dem Assistenten.* Schon will Herr Kürmann spazieren! *Er faßt Kürmann an der Schulter:* Müde? Das kommt von der Bestrahlung, das hat nichts zu sagen, trotzdem werden wir noch ein wenig bestrahlen. *Er stellt vor:* Mein neuer Assistent: Herr Doktor Fink.

ASSISTENT Funk.

ARZT Er wird Sie betreuen, solange ich im Urlaub bin. Herr Doktor Fink, soviel ich weiß, ist auch Schachspieler. *Er will die Hand geben:* In drei Wochen, Herr Kürmann, sehen wir uns wieder –

KÜRMANN Herr Professor –

ARZT Wir müssen Geduld haben.

KÜRMANN – kann ich mit Ihnen sprechen?

Assistent und Krankenschwester gehen weg.

KÜRMANN Weiß man jetzt, was es ist?

ARZT Sie grübeln zuviel.

KÜRMANN Sie können offen sprechen.

ARZT – Gastritis. *Er nimmt seine Brille ab und putzt sie:* – eine besonders langwierige Gastritis ... *Er hält die Brille gegen das Licht und prüft, ob sie sauber ist.* – Ich weiß, Herr Kürmann, was Sie sich denken, das ist das erste, was die Leute denken, wenn sie von Bestrahlung hören. *Er setzt die Brille wieder auf.* Machen Sie sich keine Angst. In drei Wochen, wie gesagt, bin ich wieder hier.

Kürmann schweigt.

ARZT Dieser Doktor Fink wird Ihnen sehr gefallen ...

KÜRMANN Funk.

ARZT Ein gewissenhafter Mann. *Er nimmt seine Brille nochmals ab, um sie gegen das Licht zu halten.* Herr Kürmann.

KÜRMANN Ja.

ARZT Wir müssen Geduld haben.

KÜRMANN Wird Gastritis operiert?

ARZT Nein.

KÜRMANN Warum wurde ich operiert?

ARZT Sie wurden nicht operiert, Herr Kürmann.

KÜRMANN Warum sagt man mir denn –

ARZT Wer sagt?

KÜRMANN Schwester Agnes.

Der Arzt setzt sich.

ARZT Ich darf offen mit Ihnen sprechen: –

KÜRMANN Es bleibt unter uns.

ARZT – natürlich haben auch wir daran gedacht, das will ich Ihnen nicht verhehlen, sonst hätte man die Operation nicht erwogen.

KÜRMANN Wieso Nuklear-Bestrahlung?

ARZT – Nuklear-Bestrahlung, so müssen Sie sich vorstellen, ist eine Vorsichtsmaßnahme. Solange Sie hier sind, ich meine, bis wir sicher sind, ich meine, ganz sicher, daß diese Gastritis nicht wiederkommt – wahrscheinlich haben Sie diese Gastritis schon früher gehabt, Magenschmerz, aber Sie dachten, es sei die Leber ... aber wir wollen doch alles tun, Herr Kürmann, daß das nicht chronisch wird.

Pause.

ARZT Haben Sie aber schöne Blumen heute!

KÜRMANN Von meinem Sohn.

ARZT Sie haben einen Sohn?

KÜRMANN In Amerika.

ARZT Das wußte ich gar nicht.

KÜRMANN Er hat ein Stipendium.

ARZT Was studiert er denn?

KÜRMANN Film.

ARZT Ach.

KÜRMANN Er ist begabt.

Pause.

ARZT – wie gesagt, Herr Kürmann, wir müssen doch alles tun, damit das nicht chronisch wird, Bestrahlung ist nichts Angenehmes, das wissen wir – Wie alt sind Sie jetzt? Eine gewisse Gefahr besteht in unserem Alter natürlich, das zeigt die Statistik, jedenfalls wäre es unverantwortlich, wenn wir nicht alles unternehmen würden ...

Der Arzt erhebt sich.

KÜRMANN Ich danke Ihnen.

ARZT Was lesen Sie denn da? *Er nimmt ein Buch zur Hand:* »Italienisch ohne Mühe.« *Er blättert darin.* Sie möchten wissen, wann Sie endlich reisen können, das begreife ich. *Er legt das Buch wieder hin.* Chianciano ist auch im Herbst noch schön – sogar schöner ...

KÜRMANN Ich habe einfach Angst.

ARZT Vor dem Bestrahlen?

KÜRMANN Vor diesem langsamen Verrecken.

Es klopft.

KÜRMANN Weiß es meine Frau?

Es klopft.

ARZT Um Ihnen die Wahrheit zu sagen: – wir wissen nicht, was es ist.

Antoinette kommt im Straßenmantel, der Arzt geht ihr entgegen und gibt die Hand, sie stehen abseits und flüstern.

KÜRMANN Was flüstern sie?

Der Arzt geht weg.

KÜRMANN Sie haben immer gesagt, ich könne wählen.

REGISTRATOR Ja.

KÜRMANN Was kann ich wählen?

REGISTRATOR Wie Sie sich dazu verhalten, daß Sie verloren sind.

Kürmann setzt sich in den Rollsessel, Antoinette tritt näher.

ANTOINETTE Ich habe dir die Bücher besorgt. *Sie nimmt Bücher aus einer Tasche.* Hast du Schmerzen?

KÜRMANN Sie werden mir eine Spritze geben.

Antoinette setzt sich.

ANTOINETTE Hast du Besuche gehabt?

KÜRMANN Ich glaube: ja.

ANTOINETTE Wer war denn da?

KÜRMANN Marlis.

ANTOINETTE Wer ist Marlis?

KÜRMANN Ich weiß es nicht mehr ...

Die Krankenschwester kommt mit der Spritze.

SCHWESTER Herr Kürmann.

KÜRMANN Bleib da!

SCHWESTER Gleich werden Sie sich wohler fühlen. *Sie gibt die Spritze.* Um elf Uhr bestrahlen wir. *Sie tupft ab.* Gleich wird Herr Kürmann sich wohler fühlen.

Die Krankenschwester geht weg.

KÜRMANN Heute wollte ich in den Garten –

Antoinette nimmt das Buch zur Hand.

KÜRMANN Ich habe mit ihm gesprochen ... Wir haben sehr offen gesprochen.

Antoinette erschrickt.

KÜRMANN – sie wissen nicht, was es ist ... Chianciano, sagt er, kann auch im Herbst noch schön sein. Wenn wir mit dem Wagen dort sind, ist alles nicht unerreichbar, ich habe die Karte studiert: 175 Kilometer nach Rom, 78 Kilometer nach Siena. Alles ist ein Katzensprung.

ANTOINETTE Ja, Hannes, ja.

KÜRMANN Kennst du Siena?

ANTOINETTE Ja, Hannes, ja.

KÜRMANN Ich nicht.

Antoinette macht das Lehrbuch auf.

ANTOINETTE Wo sind wir stehengeblieben?

KÜRMANN »Decima Lezione.«

ANTOINETTE Was wünscht der Herr?

KÜRMANN »Che cosa desidera il Signore.«

ANTOINETTE »Il Signore desidera.«

KÜRMANN »Vorei una cravatta.«

ANTOINETTE Wo ist der Spiegel?

KÜRMANN »Dovè c'é un specchio.«

ANTOINETTE »Dovè si trova –«

KÜRMANN »Dovè si trova un specchio.«

ANTOINETTE Der Spiegel.

KÜRMANN »Dovè si trova il specchio.«

ANTOINETTE »Lo specchio.«

KÜRMANN »– lo specchio, lo studio, lo spazio.«

ANTOINETTE Mehrzahl.

KÜRMANN »Gli specchi.«

ANTOINETTE Elfte Lektion.

Kürmann schweigt.

ANTOINETTE Was ist, Hannes?

KÜRMANN Ich wollte es dir schreiben. Wenn du da bist, geben sie jedesmal eine Spritze, dann weiß ich es nicht mehr –

Neon-Licht.

REGISTRATOR Ich habe es notiert. *Er liest von einem kleinen Zettel:* »Wir haben einander verkleinert. Warum haben wir immer verkleinert. Ich dich, du mich. Wieso hat sich uns alles, was möglich wäre, so verkleinert. Wir kennen einander nur verkleinert.« *Er legt den Zettel weg.* Das ist alles, was Ihnen ohne Morphium eingefallen ist.

Neon-Licht aus.

ANTOINETTE Elfte Lektion.

KÜRMANN »Undicesima Lezione.«

Es kommt der junge Assistent.

KÜRMANN – sie wollen mich wieder bestrahlen.

Antoinette erhebt sich.

ANTOINETTE Ich komme am Nachmittag wieder.

Der junge Assistent rollt Kürmann hinaus, Antoinette steht jetzt allein.

ANTOINETTE Er weiß es!

REGISTRATOR – zeitweise, nicht immer ...

Lange Pause, Antoinette steht reglos.

REGISTRATOR Ja ... Es kann noch Monate dauern, und Sie kommen jeden Tag, jetzt schon zweimal am Tag. Auch Sie können ihn nicht retten, Frau Kürmann, das wissen Sie ... In zehn Jahren vielleicht, wer weiß, oder schon in einem Jahr gibt es ein Heilmittel, aber jetzt ist es noch Schicksal ...

Antoinette will gehen

REGISTRATOR Frau Kürmann.

ANTOINETTE Ja.

REGISTRATOR Bereuen Sie die sieben Jahre mit ihm?

Antoinette starrt den Registrator an.

REGISTRATOR Wenn ich Ihnen sage: Auch Sie haben die Wahl, auch Sie können noch einmal anfangen – wüßten Sie, was Sie anders machen würden in Ihrem Leben?

ANTOINETTE Ja.

REGISTRATOR Ja?

ANTOINETTE Ja.

REGISTRATOR Dann bitte...

Der Registrator führt Antoinette hinaus.

REGISTRATOR Auch Sie haben noch einmal die Wahl.

Arbeitslicht: das Zimmer wird wiederhergestellt.

Spiellicht: Antoinette kommt im Abendkleid und setzt sich auf den Fauteuil und wartet, sie trägt die Hornbrille. Wie zu Anfang des Spiels: Stimmen draußen, Gelächter, schließlich Stille, kurz darauf erscheint Kürmann, der vor sich hin pfeift, bis er die junge Dame sieht.

ANTOINETTE »Ich gehe auch bald.«

Schweigen, er steht ratlos, dann beginnt er Flaschen und Gläser abzuräumen, Aschenbecher abzuräumen, dann steht er wieder ratlos.

KÜRMANN »Ist Ihnen nicht wohl?«

ANTOINETTE »Im Gegenteil.« *Sie nimmt sich eine Zigarette:* »Nur noch eine Zigarette.« *Sie wartet vergeblich auf Feuer.* »Wenn ich nicht störe.« *Sie zündet an und raucht.* »Ich habe es sehr genossen. Einige waren sehr nett, fand ich, sehr anregend.«

Schweigen.

ANTOINETTE »Haben Sie noch etwas zu trinken?«

Kürmann geht und gießt Whisky ein.

KÜRMANN »Eis?«

Kürmann überreicht den Whisky.

ANTOINETTE »Und Sie?«

KÜRMANN »Ich habe morgen zu arbeiten.«

ANTOINETTE »Was arbeiten Sie?«

Stundenschlag: zwei Uhr.

KÜRMANN »Es ist zwei Uhr.«

ANTOINETTE »Sie erwarten noch jemand?«

KÜRMANN »Im Gegenteil.«

ANTOINETTE »Sie sind müde.«

KÜRMANN »Zum Umfallen.«

ANTOINETTE »Warum setzen Sie sich nicht?«

Kürmann bleibt stehen und schweigt.

ANTOINETTE »Ich kann nicht schneller trinken.« *Pause.* »Eigentlich wollte ich nur noch einmal Ihre alte Spieluhr hören. Spieluhren faszinieren mich: Figuren, die immer die gleichen Gesten machen, sobald es klimpert, und immer ist es dieselbe Walze, trotzdem ist man gespannt jedesmal.« *Sie leert langsam ihr Glas.* »Sie nicht?«

Kürmann geht zur Spieluhr und kurbelt, man hört ein heiteres Geklimper, er kurbelt, bis die Walze zu Ende ist.

KÜRMANN »Womit kann ich sonst noch dienen?«

Antoinette löscht ihre Zigarette.

ANTOINETTE »Ich werde jetzt gehen.«

KÜRMANN »Haben Sie einen Wagen?«

ANTOINETTE Ja.

Antoinette steht auf und nimmt ihre Abendkleidjacke.

ANTOINETTE »Warum sehen Sie mich so an?« *Sie zieht ihre Abendkleidjacke an.* »Warum sehen Sie mich so an?« *Antoinette nimmt ihre Handtasche, Kürmann steht und blickt sie an, als glaube er ihr nicht, daß sie gehen will.*

ANTOINETTE »Auch ich habe morgen zu arbeiten.« *Kürmann begleitet sie zum Lift hinaus, das Zimmer bleibt eine Weile leer, dann kommt Kürmann zurück.*

KÜRMANN Und jetzt?

REGISTRATOR Jetzt ist sie weg.

KÜRMANN Und jetzt?

REGISTRATOR Jetzt sind Sie frei.

KÜRMANN – frei . . .

Der Registrator schlägt das Dossier auf.

REGISTRATOR »26. Mai 1960. Gäste. Es wurde spät. Als die Gäste endlich gegangen waren, saß sie einfach da. Was tut man mit einer Unbekannten, die nicht geht, die einfach sitzen bleibt und schweigt um zwei Uhr nachts? Es mußte nicht sein.« *Er blättert eine Seite um:* – morgen um elf haben Sie eine Sitzung . . . *Er legt das Dossier offen auf den Schreibtisch und tritt zurück.* Bitte. *Kürmann steht reglos.*

REGISTRATOR Sie sind frei – noch sieben Jahre . . .

Vorhang.

Anmerkungen

Das Stück spielt auf der Bühne. Der Zuschauer sollte nicht darüber getäuscht werden, daß er eine Örtlichkeit sieht, die mit sich selbst identisch ist: die Bühne. Es wird gespielt, was ja nur im Spiel überhaupt möglich ist: wie es anders hätte verlaufen können in einem Leben. Also nicht die Biografie des Herrn Kürmann, die banal ist, sondern sein Verhältnis zu der Tatsache, daß man mit der Zeit unweigerlich eine Biografie hat, ist das Thema des Stücks, das die Vorkommnisse nicht illusionistisch als Gegenwärtigkeit vorgibt, sondern das sie reflektiert – etwa wie beim Schachspiel, wenn wir die entscheidenden Züge einer verlorenen Partie rekonstruieren, neugierig, ob und wo und wie die Partie wohl anders zu führen gewesen wäre.
Das Stück will nichts beweisen.
Der Registrator, der das Spiel leitet, vertritt keine metaphysische Instanz. Er spricht aus, was Kürmann selber weiß oder wissen könnte. Kein Conférencier; er wendet sich nie ans Publikum, sondern assistiert Kürmann, indem er ihn objektiviert. Wenn der Registrator (übrigens wird er nie mit diesem Titel oder mit einem andern angesprochen) eine Instanz vertritt, so ist es die Instanz des Theaters, das gestattet, was die Wirklichkeit nicht gestattet: zu wiederholen, zu probieren, zu ändern. Er hat somit eine gewisse Güte. Das Dossier, das er benutzt, ist nicht ein Tagebuch, das Kürmann einmal geschrieben hat, auch nicht ein Dossier, wie eine Behörde es anlegt; dieses Dossier gibt es, ob geschrieben oder nicht, im Bewußtsein von Kürmann: die Summe dessen, was Geschichte geworden ist, seine Geschichte, die er nicht als die einzigmögliche anerkennt. Der Wechsel von Spiellicht und Arbeitslicht bedeutet nicht Wechsel von Illusion und Realität; sondern das Spiellicht zeigt an, daß jetzt eine Variante probiert wird, eine Variante zur Realität, die nie auf der Bühne erscheint. Insofern bleibt das Stück immer Probe. Wenn Kürmann aus einer Szene tritt, so nicht als Schauspieler, sondern als Kürmann, und es kann sogar sein, daß er dann glaubhafter erscheint; keine Szene nämlich paßt ihm so, daß sie nicht auch anders sein könnte. Nur er kann nicht anders sein.
Ich habe es als Komödie gemeint.

Bibliothek Suhrkamp

Verzeichnis der letzten Nummern

580 Elias Canetti, Aufzeichnungen
581 Max Frisch, Montauk
582 Samuel Beckett, Um abermals zu enden
583 Mao Tse-tung, 39 Gedichte
584 Ernst Kreuder, Die Gesellschaft vom Dachboden
585 Peter Weiss, Der Schatten des Körpers des Kutschers
586 Herman Bang, Das weiße Haus
587 Herman Bang, Das graue Haus
588 Hermann Broch, Menschenrecht und Demokratie
589 D. H. Lawrence, Auferstehungsgeschichte
590 O'Brien, Zwei Vögel beim Schwimmen
591 André Gide, Die Rückkehr des verlorenen Sohnes
592 Jean Gebser, Lorca oder das Reich der Mütter
593 Robert Walser, Der Spaziergang
594 Natalia Ginzburg, Caro Michele
595 Raquel de Queiroz, Das Jahr 15
596 Hans Carossa, Ausgewählte Gedichte
599 Hans Mayer, Doktor Faust und Don Juan
600 Thomas Bernhard, Ja
601 Marcel Proust, Der Gleichgültige
602 Hans Magnus Enzensberger, Mausoleum
603 Stanisław Lem, Golem XIV
604 Max Frisch, Der Traum des Apothekers von Locarno
605 Ludwig Hohl, Vom Arbeiten · Bild
606 Herman Bang, Exzentrische Existenzen
607 Guillaume Apollinaire, Bestiarium
608 Hermann Hesse, Klingsors letzter Sommer
609 René Schickele, Die Witwe Bosca
610 Machado de Assis, Der Irrenarzt
611 Wladimir Trendrjakow, Die Nacht nach der Entlassung
612 Peter Handke, Die Angst des Tormanns beim Elfmeter
614 Bernhard Guttmann, Das alte Ohr
616 Ludwig Wittgenstein, Bemerkungen über die Farben
617 Paul Nizon, Stolz
618 Alexander Lernet-Holenia, Die Auferstehung des Maltravers
619 Jean Tardieu, Mein imaginäres Museum
620 Arno Holz/Johannes Schlaf, Papa Hamlet
621 Hans Erich Nossack, Vier Etüden
622 Reinhold Schneider, Las Casas vor Karl V.
624 Ludwig Hohl, Bergfahrt
628 Donald Barthelme, Komm wieder Dr. Caligari
646 Thomas Bernhard, Der Weltverbesserer

Bibliothek Suhrkamp

Alphabetisches Verzeichnis

Frisch, Max, 1911-
Biografie : ein Spiel / Max Frisch.
-- Frankfurt am Main : Suhrkamp 1979,
c1967.
117 p. ; 19 cm. -- (Bibliothek
Suhrkamp ; Bd. 225)

ISBN 3-518-01225-8

I. Title.